RECETAS SABROSAS

# Cocina
# mexicana

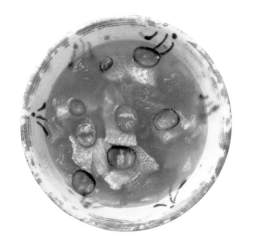

Marlena Spieler

Copyright © 2003 de la edición española:
Parragon
Traducción del inglés: Montserrat Ribas
para Equipo de Edición, S.L., Barcelona
Redacción y maquetación:
Equipo de Edición, S.L., Barcelona

Impreso en China

ISBN: 1-40541-453-7

**Nota**

Una cucharada equivale a 15 ml. Si no se indica otra cosa,
la leche será entera, los huevos, de tamaño medio (nº 3),
y la pimienta, pimienta negra molida.

Las recetas que llevan huevo crudo o muy poco cocido
no son indicadas para los niños muy pequeños,
los ancianos, las mujeres embarazadas, las personas
convalecientes y cualquiera que sufra alguna enfermedad.

# Sumario

# Introducción

La cocina mexicana es extraordinaria, variada y compleja, pues está basada en las antiguas civilizaciones indias, a las que se fueron sumando posteriores influencias, tanto españolas como de otras culturas europeas.

La originalidad de la comida mexicana radica en sus antiguas raíces: aztecas, toltecas, zapotecas, olmecas y mayas. Las complejas y suculentas salsas, de vivos colores, hechas con guindillas más o menos picantes, semillas, hierbas y verduras, son tan antiguas como las culturas de las que proceden. Las carnes estofadas, así como la contribución española del cerdo, son también elementos destacables; con el caldo de la cocción se hacen sopas para el consumo cotidiano, y se enriquecen platos de alubias o arroz y estofados. El pescado, procedente de los muchos kilómetros de costa que definen la forma del país, se consume bañado en salsas picantes, espolvoreado con guindilla, y envuelto en tortillas o en hojas aromáticas.

Esta antigua cocina con alimentos y técnicas indígenas se vio enriquecida por la tradición española y europea, así como por nuevos productos importados, como el trigo (para las tortillas y los crujientes panecillos llamados *bolillos*), y animales domésticos, entre ellos la vaca y el cerdo.

## TORTILLAS

Las *tortillas*, parecidas a crepes muy finas, son prácticamente omnipresentes en todas las comidas mexicanas. Servidas como pan para acompañar los platos, también se pueden utilizar para envolver los alimentos y comerlos sin cubiertos.

En el norte predominan las tortillas de harina de trigo; en el sur, son más frecuentes las de maíz, a veces de maíz azul. Las tortillas pueden ser de diminutas a muy grandes, y se consumen recién salidas de la parrilla (comal) o rellenas y fritas; son un elemento básico de la cocina mexicana.

Como envoltorio para cualquier alimento, la tortilla de maíz se convierte en un "taco", y la de harina de trigo, en un "burrito". Recién hecha y caliente, una tortilla de maíz es un "taco blando"; frita hasta que está crujiente, es un "taco crujiente". Una tortilla frita plana es una "tostada", y se suele guarnecer con una capa de frijoles refritos calientes, queso, guindillas encurtidas o salsa, ensalada y trocitos de carne o verduras.

En la frugal cocina mexicana, las tortillas de maíz pasadas nunca se tiran, y el comensal sale ganando: mojadas con salsa picante y enrolladas con distintos rellenos, forman el delicioso plato llamado "enchilada"; fritas y con capas de salsa, se llaman "chilaquiles".

Hoy día, casi todo el mundo está familiarizado con los "nachos", que saben mejor cuando se preparan con tortillas de maíz pasadas, pero que también se venden en paquetes.

## FRIJOLES

Las alubias o frijoles también son un alimento básico, junto con el arroz y las guindillas (chiles). En cualquier puesto de comidas de un mercado (las fondas) y en las cocinas particulares, ollas de frijoles esperan a ser consumidas en cualquiera de sus variedades, quizá con el simple acompañamiento de unas tortillas.

En todo México los tipos de alubias varían, desde las tiernas judías del norte, de color rosa pálido, como las pintas, hasta los frijoles negros del sur. Los que se utilizan como puré y se cuecen con manteca y especias se llaman frijoles refritos, aunque en realidad no están fritos, sino cocidos con un poco de manteca (tradicional) o aceite vegetal (actual) hasta formar una pasta.

## CHILES

Junto con las tortillas y los frijoles, las guindillas o chiles son un elemento característico de la cocina mexicana. Aportan sabor, textura, color y aroma, además de su sabor picante, y hacen que la dieta, muchas veces monótona, resulte estimulante. Los chiles se comen crudos, cocidos, cortados en rodajas, estofados, rellenos, triturados, encurtidos, rebozados y fritos, y aparecen en todas las comidas, normalmente en forma de salsa para que el comensal se sirva a su gusto. Son ricos en vitaminas antioxidantes y despejan inmediatamente las fosas nasales, dejando al margen sus supuestas cualidades afrodisíacas.

En ciertos países, el uso de guindillas tiende a intimidar, ya que pueden ser terriblemente picantes, y se consumen con mucha moderación.

Las guindillas más suaves son las rojas, que por lo general se consumen secas. Pero también existen guindillas rojas más picantes, la cayena, que a los mexicanos les encanta consumir majadas. Otras guindillas suaves son las de tipo "pasilla", "ancho", "mulato" y "negro", que componen la característica mezcla de sabores que en la sección de productos mexicanos de los supermercados se vende como "polvo de guindilla suave".

La mayor parte de las guindillas frescas son picantes o muy picantes. La variedad más consumida es el chile jalapeño, una guindilla verde de delicioso sabor y muy picante. Otra popular guindilla fresca es el chile serrano. En la región caribeña se consumen las variedades "habanera" y "gorro escocés".

Dos variedades de guindilla más suaves, la "anaheim" y la "poblano", están francamente deliciosas rellenas, como si fueran pimientos; si no las encuentra, utilice pimientos verdes normales, asados y macerados con una o dos guindillas frescas picadas para darles más sabor.

Los condimentos mexicanos embotellados son fáciles de encontrar. En México, están en todas las mesas y estantes de cocina: una buena dosis de sabroso fuego para los más atrevidos.

## OTROS SABORES

Las especias mexicanas no se limitan a las guindillas. También la canela, el clavo, la pimienta negra, el cacao en polvo, y sobre todo el comino, se utilizan profusamente, así como hierbas de varios tipos, como el orégano, la mejorana, la menta, el epazote y el cilantro fresco. La cebolla asada y los dientes de ajo se suelen majar para formar la base de salsas, y los gajos de lima se utilizan para acompañar sopas, carnes, pescados y prácticamente cualquier plato.

## ESTILO MEXICANO

Las comidas en México son una continua fiesta. La comida principal, o "comida corrida", se sirve al estilo español, después del mediodía. El desayuno puede ser ligero, como un chocolate caliente o un café con churros para mojar, o servirse más tarde como almuerzo, que es más consistente: suele consistir en exquisitos platos a base de huevo. Los mercados mexicanos, con sus fondas, cantinas y taquerías, atraen al paseante con sus irresistibles

aromas, y lo convencen de que realmente está hambriento: el constante desfile de tacos, tostadas, enchiladas, burritos, sopas, pescados y mariscos a la parrilla tienta el paladar.

Y cuando el apetito se encuentra en horas bajas por el calor y los festejos, y no se puede ingerir ni un solo burrito más, la propuesta es mordisquear un refrigerio refrescante: fruta fresca, como piña, naranja o mango, espolvoreada con pimienta roja picante y servida con un chorrito de zumo de lima. Después de eso, ya se está listo para cualquier cosa.

# Sopas y entrantes

Empiece su comida al auténtico estilo mexicano: con un bol
de sopa casera. Las sopas mexicanas son características y
variadas, desde las ligeras sopas de caldo servidas con una
cucharada de salsa y un poco de lima hasta suculentos platos
como el pozole. Sea cual sea la que se escoja, en México se
sirven con un gajo de lima, limón o naranja, espolvoreadas
con aromático cilantro fresco y un poco de chile picante.

Los platillos para acompañar también forman parte de las
comidas mexicanas. El guacamole, famoso en el mundo
entero, un puré de aguacate con condimentos y especias,
constituye un primer plato perfecto: es delicioso con crujientes
nachos y una buena cerveza mexicana o un trago de tequila.
   Las empanadas de carne dulces y picantes, con especias
aromáticas y frutos secos, son extraordinarias, y nunca se tiene
bastante; además, se pueden conservar en el congelador para
improvisar una comida en cualquier momento.

Con sus miles de kilómetros de costa, los cócteles de marisco
y el pescado macerado conforman unos aperitivos refrescantes
e increíblemente ligeros con los que empezar un festín
mexicano. Como alternativa, se podrían servir unos tacos,
unos rollitos de tortilla con tentadores rellenos mexicanos, o
una ensalada de crujientes hortalizas crudas aderezada con
chile. Sea cual sea su gusto, seguro que las recetas de
este capítulo le cautivarán.

# Sopa de cítricos al estilo del Yucatán

### Para 4 personas

## INGREDIENTES

2 cebollas

15 dientes de ajo grandes, sin pelar

1 cucharada de aceite de oliva virgen extra

1,3 litros de caldo de verduras, pollo o pescado

225 ml de agua

8 tomates maduros cortados en dados

una pizca de orégano

1 chile fresco, jalapeño o serrano, despepitado y picado

una pizca de comino molido

$^1/_2$ cucharadita de ralladura fina de pomelo

$^1/_2$ cucharadita de ralladura fina de lima

$^1/_2$ cucharadita de ralladura fina de naranja

el zumo y la pulpa cortada en dados de 2 limas

el zumo de 1 naranja

el zumo de 1 pomelo

sal y pimienta

PARA DECORAR:

nachos o tiras de tortilla de maíz fritas y crujientes

2 cucharadas de cilantro picado

1 Corte por la mitad una cebolla sin pelar. Pele la otra y píquela fina.

2 Caliente una sartén de base gruesa, y ase las mitades de la cebolla sin pelar y los ajos a fuego medio, hasta que las pieles estén tostadas y las cebollas, caramelizadas por el lado cortado; el ajo debería quedar blando por dentro. Retire la cebolla de la sartén y deje que se entibie.

3 Mientras tanto, caliente el aceite en una cazuela y saltee ligeramente el resto de la cebolla, hasta que se ablande. Vierta el caldo y el agua, y llévelo a ebullición. Baje la temperatura y cuézalo durante unos minutos.

4 Pele la cebolla asada y el ajo, píquelos y póngalos en el caldo, junto con el tomate, el orégano, la guindilla y el comino.

Cuézalo unos 15 minutos, removiendo de vez en cuando.

5 Incorpore la ralladura de cítricos, salpimente y cuézalo a fuego lento otros 2 minutos. Retire la sopa del fuego, y añada la pulpa de lima y los zumos.

6 Sirva la sopa en boles individuales, adornada con las tiras de tortilla y el cilantro fresco.

# Gazpacho picante

### Para 4–6 personas

## INGREDIENTES

1 pepino
2 pimientos verdes
6 tomates maduros, sabrosos
$^{1}/_{2}$ guindilla picante fresca
$^{1}/_{2}$–1 cebolla finamente picada
3–4 dientes de ajo picados
4 cucharadas de aceite de oliva
    virgen extra

$^{1}/_{4}$–$^{1}/_{2}$ cucharadita de comino
    molido
2–4 cucharaditas de vinagre de
    jerez o una mezcla de vinagre
    balsámico y vinagre de vino
4 cucharadas de cilantro picado
2 cucharadas de perejil fresco,
    picado

300 ml de caldo de pollo o de
    verduras
600 ml de zumo de tomate o
    tomate triturado de lata
sal y pimienta
cubitos de hielo, para servir

1 Corte el pepino por la mitad a lo largo. Extraiga las semillas con una cucharita y corte la pulpa en dados. Corte los pimientos por la mitad, retire las semillas y córtelos en dados.

2 Si desea pelar los tomates, colóquelos en un cuenco refractario, vierta agua hirviendo y déjelos 30 segundos. Escúrralos y sumérjalos en agua fría: podrá quitar la piel fácilmente. Corte los tomates por la mitad, elimine las pepitas,

si lo desea, y píquelos. Despepite y pique la guindilla.

3 Ponga la mitad del pepino, del pimiento verde, del tomate y de la cebolla en una batidora o picadora, con la guindilla, el ajo, el aceite de oliva, el comino, el vinagre, el cilantro y el perejil. Bátalo con caldo para obtener un puré claro.

4 Viértalo en un cuenco, y añada el resto del caldo y el zumo de tomate. Incorpore el resto del

pimiento, el pepino, el tomate y cebolla, removiendo bien. Salpimente, cúbralo y déjelo en la nevera unas horas.

5 Sirva el gazpacho con cubitos de hielo.

## VARIACIÓN

*Haga cubitos de hielo con zumo de tomate.*

# Sopa picante de calabacín con arroz y lima

### Para 4 personas

## INGREDIENTES

2 cucharadas de aceite

1-2 cucharadas de guindilla roja
   suave molida

¼-½ cucharadita de comino
   molido

4 dientes de ajo, en rodajitas

1,5 litro de caldo de verduras,
   pollo o carne

2 calabacines, en dados grandes

4 cucharadas de arroz largo

sal y pimienta

ramitas de orégano fresco, para
   adornar

gajos de lima, para servir
   (opcional)

1 Caliente el aceite en una cazuela de base gruesa y fría el ajo unos 2 minutos, o hasta que se ablande y se empiece a dorar. Añada la guindilla molida y el comino, y rehogue a fuego medio 1 minuto.

2 Agregue el caldo, los calabacines y el arroz, y cuézalo a fuego medio unos 10 minutos, hasta que el calabacín esté tierno y el arroz, cocido. Salpimente la sopa al gusto.

3 Sírvala en boles individuales, adornada con el orégano, y con gajos de lima para acompañar.

## SUGERENCIA

*Compre calabacines que sean firmes al tacto y tengan la piel brillante. Procure que no sean demasiado grandes.*

## VARIACIÓN

*Puede sustituir el arroz por pasta en forma de granos de arroz, como orzo o semi de melone, o fideos finos. Utilice calabacita amarilla en lugar de calabacines, y añada unas judías pintas cocidas en lugar de arroz. También queda sabrosa añadiendo unos dados de tomate.*

# Sopa de verduras mexicana con nachos

### Para 4-6 personas

## INGREDIENTES

2 cucharadas de aceite vegetal
o de oliva virgen extra

1 cebolla finamente picada

4 dientes de ajo finamente
picados

$1/4$-$1/2$ cucharadita de comino
molido

2-3 cucharaditas de guindilla
suave molida, tipo ancho
o Nuevo México

1 zanahoria cortada
en rodajas

1 patata harinosa cortada
en dados

350 g de tomates, frescos
o de lata, cortados en
dados

1 calabacín cortado en dados

$1/4$ de col pequeña cortada
en tiras finas

1 litro de caldo de verduras
o de pollo, o bien agua

1 mazorca de maíz desgranada
o maíz dulce de lata

unas 10 judías verdes, con las
puntas recortadas y cortadas
en trocitos

sal y pimienta

PARA SERVIR:

4-6 cucharadas de cilantro fresco
picado

salsa de su elección o guindilla
fresca picada, al gusto

nachos

1 Caliente el aceite en una cazuela de base gruesa. Rehogue la cebolla y el ajo unos minutos, hasta que se ablanden; añada el comino y la guindilla. Incorpore la zanahoria, la patata, el tomate, el calabacín y la col, y cuézalo 2 minutos, removiendo de vez en cuando.

2 Vierta el caldo. Tape la cazuela y cuézalo a fuego medio durante 20 minutos, o hasta que las verduras estén tiernas.

3 Añada agua si hace falta, incorpore el maíz y las judías, cuézalo otros 5-10 minutos, o hasta que las judías estén tiernas.

Salpimente (tenga en cuenta que los nachos suelen ser salados).

4 Sirva la sopa en cuencos individuales, espolvoreada con cilantro fresco picado. Ponga una cucharada de salsa, y lleve a la mesa un cuenco con nachos, para acompañar.

# Sopa de col y cangrejo

### Para 4 personas

## INGREDIENTES

¹/₄ de col
450 g de tomates maduros
1 litro de caldo de pescado, o de
    agua con 1-2 cubitos de caldo
    de pescado
1 cebolla cortada en rodajas finas
1 zanahoria pequeña, en dados

4 dientes de ajo picados finos
6 cucharadas de cilantro fresco
    picado
1 cucharadita de guindilla suave
    molida, tipo Nuevo México
1 cangrejo entero cocido, o 175-
    225 g de carne de cangrejo

1 cucharada de hojas de orégano
    fresco desmenuzadas
sal y pimienta

PARA SERVIR:
1-2 limas cortadas en gajos
salsa de su elección

1 Retire la parte gruesa del tallo de la col, y córtela en tiras finas con un cuchillo grande.

2 Para pelar los tomates, póngalos en un cuenco refractario, vierta agua hirviendo encima y déjelos 30 segundos. Escúrralos y sumérjalos en agua fría: así, la piel saldrá con facilidad. A continuación, pique los tomates.

3 Ponga los tomates y el caldo en una cazuela, con la cebolla, la zanahoria, la col, el ajo, el cilantro y la guindilla molida. Llévelo a ebullición, baje el fuego y cuézalo unos 20 minutos, hasta que las verduras empiecen a estar tiernas.

4 Extraiga la carne del cangrejo: primero, separe las patas y las pinzas, y rómpalas con un cuchillo grueso. Retire la carne de las patas con un pincho de cocina; si lo desea, puede dejar las pinzas rotas. Retire la carne de la parte central y descarte las tripas y las barbas.

5 Incorpore la carne de cangrejo y el orégano a la cazuela, y cueza la sopa a fuego lento durante unos 10-15 minutos, para que los sabores se mezclen. Salpimente al gusto.

6 Sirva la sopa en cuencos hondos, con 1-2 gajos de lima. Sirva una salsa aparte, para acompañar.

# Sopa mexicana de pescado y tomate

### Para 4 personas

## INGREDIENTES

5 tomates maduros

5 dientes de ajo sin pelar

500 g de cubera cortada
en trozos

1 litro de caldo de pescado,
o de agua con 1-2 cubitos
de caldo de pescado

2-3 cucharadas de aceite de oliva

1 cebolla picada

2 chiles frescos, por ejemplo
serranos, despepitados y
cortados en rodajitas

gajos de lima, para servir

1 Caliente una sartén de base gruesa sin engrasar, y ase los tomates enteros y los ajos a fuego vivo. También puede hacerlo bajo el grill. Las pieles deberían ennegrecerse y chamuscarse, y la pulpa, quedar tierna. También puede poner los tomates y los dientes de ajo en una bandeja para el horno, y asarlos en el horno precalentado a 190-200 °C unos 40 minutos.

2 Deje que los tomates y los ajos se enfríen, y entonces pélelos. Píquelos no muy finos, y mézclelos con el jugo que pudiera quedar en la sartén. Reserve.

3 Escalde el pescado en el caldo a fuego medio, hasta que esté opaco y tenga una consistencia firme. Retírelo del fuego y resérvelo.

4 Caliente el aceite en una cazuela, y fría la cebolla picada hasta que se ablande. Agregue el caldo del pescado colado, y a continuación los tomates y el ajo picados; remueva.

5 Lleve la sopa a ebullición, baje la temperatura y cuézala unos 5 minutos, para que se mezclen los sabores. Añada el chile serrano.

6 Divida los trozos de pescado entre los boles individuales, vierta por encima la sopa caliente, y sírvala con gajos de lima para rociarla con el zumo.

# Sopa de pollo, aguacate y chipotle

### Para 4 personas

## INGREDIENTES

1,5 litros de caldo de pollo

2-3 dientes de ajo finamente picados

1-2 chiles chipotle, cortadas en tiras muy finas

1 aguacate

zumo de lima o de limón

3-5 cebolletas cortadas en rodajas finas

350-400 g de pechuga de pollo cocida, desmenuzada o cortada en tiras finas

2 cucharadas de cilantro fresco picado

PARA SERVIR:

1 lima cortada en gajos

un puñado de nachos (opcional)

1 Ponga el caldo en una cazuela, con el ajo y el chile, y llévelo a ebullición.

2 Mientras tanto, corte el aguacate por la mitad, alrededor del hueso. Separe las dos mitades y retire el hueso con un cuchillo. Pélelo con cuidado, corte la pulpa en dados, e impréngnelos con el zumo de lima o de limón para evitar que se oscurezcan.

3 Disponga las cebolletas, el pollo, el aguacate y el cilantro fresco en la base de 4 boles para sopa o en una sopera grande.

4 Vierta encima el caldo. Sirva la sopa con gajos de lima y unos cuantos nachos, si lo desea.

## VARIACIÓN

*Añada 1 lata de 400 g de garbanzos escurridos a los cuencos en el paso 3.*

## SUGERENCIA

*Los chiles chipotle son chiles jalapeños ahumados y secos, y se venden en lata o secos en tiendas especializadas. Aportan un característico sabor ahumado a los platos, y son muy picantes. Si le es posible, utilice chipotles envasados en adobo para esta receta, y escúrralos antes de usarlos. Si utiliza chipotles secos, tendrá que rehidratarlos antes de utilizarlos (véase página 100).*

# *Cocido de carne*

### Para 4 personas

## INGREDIENTES

2 kg de carne para estofar de
buey, cerdo o pollo, o una
mezcla de varias
2 cebollas picadas
1 cabeza de ajos entera, separada
en dientes pelados

varias ramitas de hierbas frescas,
como perejil, orégano
y cilantro
1 zanahoria cortada en rodajas
1-2 cubitos de caldo
sal y pimienta

tallarines finos o macarrones,
ya cocidos, para servir
cebolletas cortadas en rodajitas
finas, para adornar

1 Ponga la carne en una
cazuela grande y cúbrala
con agua fría. Llévela a
ebullición y espume las
impurezas que suban
a la superficie. Baje la
temperatura, añada la
cebolla, el ajo, las hierbas
y la zanahoria, y cuézalo a
fuego lento, cubierto, 1 hora.

2 Añada los cubitos de
caldo y salpimente. (Si
usa una mezcla de carne con
pollo, cueza primero las otras
carnes 1 hora y después añada
el pollo.) Cueza la sopa a
fuego lento unas 2 horas más,
hasta que la carne esté tierna.

3 Retire la cazuela del
fuego y deje que la carne
se enfríe en el mismo caldo.
Pase la carne a una tabla de
picar, y córtela en tiras finas;
reserve. Retire la grasa del
caldo; puede dejar que se
enfríe y quitarla cuando se
acumule en la superficie.
Cuele el caldo y vuelva
a calentarlo antes de
servirlo.

4 Para servir, ponga los
macarrones o tallarines
calientes en los cuencos, así
como la carne troceada, y
vierta por encima la sopa.
Adorne con la cebolleta.

## VARIACIÓN

*Puede preparar una
sopa sencilla con el
caldo colado,
cociendo en él unos
calabacines cortados
en dados junto con
una rama de canela;
retire y descarte
la canela, y sirva la
sopa con un gajo
de lima, un poquito
de la salsa que
prefiera y
espolvoreada con
cilantro fresco.*

# Sopa de buey con verduras

### Para 4-6 personas

## INGREDIENTES

225 g de tomates

2 mazorcas de maíz

1 litro de sopa o caldo de buey,
    según la receta de la pág. 22,
    o bien un caldo refrigerado
    comprado

1 zanahoria cortada en rodajitas

1 cebolla picada

1-2 patatas harinosas pequeñas,
    cortadas en dados

$1/4$ de col cortada en tiras finas

$1/4$ de cucharadita de comino
    molido

$1/4$ de cucharadita de guindilla
    suave en polvo

$1/4$ de cucharadita de pimentón

225 g de carne de buey cocida
    (véase receta de la pág. 22),
    cortada en trocitos

3-4 cucharadas de cilantro fresco
    picado (opcional)

salsa picante, como la de
    guindilla chamuscada (véase
    pág. 102), para servir

1 Para pelar los tomates, póngalos en un cuenco refractario, vierta agua hirviendo encima y espere 30 segundos. Escúrralos y sumérjalos en agua fría. Así la piel se desprenderá con facilidad. Pique la pulpa de los tomates.

2 Con un cuchillo grande, corte las mazorcas en trozos de 2,5 cm.

3 Ponga el caldo en una cazuela, con el tomate, la zanahoria, la cebolla, las patatas y la col. Llévelo a ebullición, baje el fuego y cuézalo 10-15 minutos, hasta que las verduras estén tiernas.

4 Añada los trozos de mazorca, el comino, la guindilla en polvo, el pimentón y la carne troceada. Vuelva a llevarlo a ebullición, a fuego medio.

5 Sirva la sopa en cuencos individuales, espolvoreada con el cilantro fresco, si lo desea, y con una salsa para acompañar.

## SUGERENCIA

*Para espesar la sopa y darle el sabor de las empanadillas mexicanas llamadas "tamales", añada unas cucharadas de harina de maíz especial para tamales, desleída en un poco de agua, en el paso 4. Remueva bien y cuézalo hasta que se espese.*

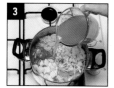

# *Pozole*

### Para 4 personas

### INGREDIENTES

| | | |
|---|---|---|
| 450 g de carne de cerdo para estofar, por ejemplo de falda | 2 hojas de laurel | PARA SERVIR: |
| 1/2 pollo pequeño | 450 g de granos de maíz o garbanzos, de lata o cocidos en casa | 1/2 col pequeña, cortada en tiras finas |
| unos 2 litros de agua | | chicharrones |
| 1 cubito de caldo de pollo | 1/4-1/2 cucharadita de comino molido | hojas de orégano fresco |
| 1 cabeza de ajos entera, separada en dientes sin pelar | sal y pimienta | copos de guindilla seca |
| 1 cebolla picada | | nachos |
| | | gajos de lima |

1 Ponga la carne y el pollo en una cazuela grande. Llénela de agua. (No se preocupe por si queda demasiado caldo, ya que lo podrá utilizar para elaborar otros platos, o congelarlo).

2 Llévelo a ebullición y espume las impurezas que suban a la superficie. Baje la temperatura y añada el cubito de caldo, el ajo, la cebolla y las hojas de laurel. Tápelo y cuézalo a fuego medio hasta que la carne esté tierna.

3 Con una espumadera, retire la carne y el pollo del caldo y deje que se enfríe. Cuando ya se pueda manipular, deshuese el pollo y córtelo en trocitos. Corte también la carne; reserve.

4 Retire la grasa de la superficie del caldo, y las hojas de laurel. Añada los granos de maíz o los garbanzos, y también comino molido, sal y pimienta al gusto. Llévelo a ebullición.

5 Para servir, ponga un poco de carne y pollo en cuencos para sopa. Ponga encima la col, los chicharrones, el orégano y los copos de guindilla, y vierta el caldo caliente por encima. Sirva la sopa con los nachos y los gajos de lima.

**3**

**4**

**5**

# Guacamole

### Para 4 personas

## INGREDIENTES

1 tomate maduro
2 limas
2-3 aguacates maduros, de un
   tamaño pequeño a mediano,
   o 1-2 grandes
$1/4$-$1/2$ cebolla finamente picada

una pizca de comino molido
una pizca de guindilla suave
   en polvo
$1/2$-1 chile verde fresco, jalapeño
   o serrano, despepitado y
   picado fino

1 cucharada de hojas de cilantro
   fresco picado, y un poco más
   para adornar
sal (opcional)
nachos, para servir (opcional)

1 Para pelar el tomate, póngalo en un cuenco refractario, vierta agua hirviendo encima y espere 30 segundos. Escúrralo y sumérjalo en agua fría. La piel se desprenderá con facilidad. Córtelo por la mitad, despepítelo y pique la pulpa.

2 Exprima el zumo de las limas en un cuenco pequeño. Corte un aguacate alrededor del hueso. Separe las dos mitades y extraiga el hueso. Pélelo con cuidado, corte la pulpa en dados y mézclos con el zumo de lima, para evitar que se oscurezcan. Haga lo mismo con los otros aguacates. Cháfelos con un tenedor, pero no demasiado.

3 Añada la cebolla, el tomate, el comino, la guindilla y el chile, y el cilantro. Si lo va a utilizar como salsa para mojar los nachos, no añada sal. Si no es así, sale al gusto.

4 Para servir el guacamole como salsa para mojar, póngalo en un cuenco, adórnelo con el cilantro y acompáñelo con los nachos.

## SUGERENCIA

*El guacamole aporta textura y sabor a muchos platos. Ponga unas cucharadas en sopas, especialmente las de pollo o marisco, o extiéndalo sobre los panecillos gruesos y crujientes llamados "tortas". También puede extender guacamole sobre unas frijoles refritos con queso fundido, y acompañarlo con nachos. Sírvalo con pollo asado, o añádalo al jugo del asado para obtener una deliciosa salsa de aguacate.*

# Queso gratinado con salsa

### Para 4 personas

### INGREDIENTES

225 g de mozzarella, pecorino
fresco o queso mexicano
oaxaca

175 ml de salsa cruda
(véase pág. 96), o cualquier
otra buena salsa

$^1/_2$-1 cebolla finamente picada
8 tortillas, para servir

1 Para preparar las tortillas, caliente una sartén antiadherente, deposite una tortilla y rocíe con unas gotas de agua mientras se calienta. Envuélvala en papel de aluminio para mantenerla caliente. Repita la operación con el resto de las tortillas.

2 Corte trozos o rodajas de queso, y colóquelo sobre una fuente llana para el horno o en platos individuales.

3 Vierta la salsa sobre el queso, y gratínelo en el horno precalentado a 200 °C, o bien bajo el grill, hasta que el queso esté fundido, se

formen burbujas y esté un poco dorado en algunos puntos.

4 Espolvoree con la cebolla picada, al gusto, y sírvalo con las tortillas calientes para mojar. Prepare el plato en el último momento, ya que el queso fundido se vuelve correoso cuando se enfría, y resulta difícil de comer.

## SUGERENCIA

*Con el queso oaxaca la receta quedaría más auténtica, pero puede sustituirlo perfectamente por mozzarella o pecorino, ya que producen el mismo efecto al fundirlos.*

## VARIACIÓN

*Utilice la salsa verde de la pág. 102 en lugar de la salsa roja de tomate, y acompañe con nachos en lugar de las tortillas de maíz blandas.*

# Cóctel de marisco al estilo de Veracruz

### Para 6 personas

## INGREDIENTES

1 litro de caldo de pescado,
   o agua con 1 cubito
   de caldo de pescado
2 hojas de laurel
1 cebolla picada
3-5 dientes de ajo, cortados
   en trozos grandes

650 g de marisco variado, como
   gambas sin pelar, vieiras,
   aros de calamar, trozos de
   tentáculos de calamar, etc.
175 ml de ketchup
50 ml de salsa picante mexicana
un buen pellizco de comino
   molido

6-8 cucharadas de cilantro fresco
   picado
4 cucharadas de zumo de lima, y
   un poco más para el aguacate
sal
1 aguacate, para adornar

1 Ponga el caldo en una cazuela, y añada las hojas de laurel, la mitad de la cebolla y todo el ajo. Llévelo a ebullición, baje el fuego y cuézalo 10 minutos, o hasta que la cebolla y el ajo se hayan ablandado y el caldo esté sabroso.

2 Incorpore el marisco por orden, según el tiempo de cocción necesario. Los trozos más pequeños se cuecen muy deprisa, y puede añadirlos todos a la vez. Cuézalo 1 minuto, retire la cazuela del fuego y deje que el marisco acabe de cocerse en el caldo mientras se enfría.

3 Cuando el caldo esté frío, retire el marisco. Pele las gambas y el marisco que lo requiera. Reserve el caldo.

4 En un bol, mezcle el ketchup con la salsa picante y el comino; reserve un cuarto de la mezcla para servir. Añada el marisco al bol, con el resto de la cebolla, el cilantro fresco, el zumo de lima y unos 225 ml del caldo de pescado frío reservado. Remueva con cuidado para mezclarlo todo bien, y sale.

5 Pele el aguacate, retire el hueso y corte la pulpa en dados o rodajas. Páselo por el zumo de lima para evitar que se ennegrezca.

6 Sirva el cóctel de marisco en cuencos individuales, adornado con el aguacate y con una cucharada de salsa.

# *Pescado macerado con cítricos*

### Para 4 personas

## INGREDIENTES

450 g de filetes de pescado
blanco, cortados
en trocitos
el zumo de 6-8 limas
2-3 tomates maduros y sabrosos,
cortados en dados

3 chiles verdes frescos, jalapeños
o serranos, despepitados y
cortados en rodajitas finas
$^{1}/_{2}$ cucharadita de orégano seco
1 cebolla pequeña finamente
picada

80 ml de aceite de oliva virgen
extra
sal y pimienta
2 cucharadas de cilantro fresco
picado

1 Ponga el pescado en
una fuente que no sea
metálica, agregue el zumo de
lima y mezcle bien. Déjelo
macerar en la nevera unas
5 horas, o hasta que el
pescado se vuelva opaco.
Remueva de vez en cuando,
para que se impregne bien.

2 Una hora antes de servir,
añada el tomate, el chile,
el orégano, el aceite y la
cebolla, y salpimente al gusto.

3 Unos 15 minutos antes
de servir el plato, sáquelo
de la nevera para que se
ponga a temperatura

ambiente. Sirva el pescado
espolvoreado con cilantro.

### SUGERENCIA

*Esta receta constituye un
elegante primer plato si se
sirve entre capas de tortillas
crujientes apiladas, como
una torre de tostadas;
también, servido sobre unas
mitades de aguacate,
rodeadas con rodajas de
mango, papaya o pomelo,
puede ser un almuerzo
ligero.*

### SUGERENCIA

*En esta ensalada, el pescado
se "cuece" con el zumo de
lima. No lo deje demasiado
tiempo en adobo, pues la
textura se estropearía.*

### VARIACIÓN

*Sirva el plato
adornado con corazones
de alcachofa macerados, o
con alcachofas de lata
escurridas.*

# Salpicón de cangrejo

### Para 4 personas

## INGREDIENTES

| | | |
|---|---|---|
| ¹/₄ de cebolla roja picada | 1 cucharada de cilantro fresco | PARA DECORAR: |
| ¹/₂–1 chile verde fresco, | picado | 1 aguacate |
| despepitado y picado | 1 cucharada de aceite de oliva | zumo de lima |
| el zumo de ¹/₂ lima | virgen extra | 1-2 tomates maduros |
| 1 cucharada de vinagre de sidra | 225-350 g de carne fresca | 3-5 rábanos |
| o de fruta, por ejemplo | de cangrejo | |
| de frambuesa | hojas de lechuga, para servir | |

1 En un cuenco, mezcle la cebolla con el chile, el zumo de lima, el vinagre, el cilantro fresco y el aceite de oliva. Añada la carne de cangrejo y mezcle con cuidado.

2 Para el aderezo, corte los aguacates por la mitad alrededor del hueso. Separe las dos mitades y retire el hueso con un cuchillo. Pélelos con cuidado, y corte la pulpa en rodajas. Pásela por zumo de lima para evitar que se ennegrezca.

3 Parta los tomates por la mitad, y retire el corazón y las pepitas. Corte la pulpa en dados. Corte los rábanos en rodajitas finas.

4 Disponga la carne de cangrejo sobre un lecho de hojas de lechuga, adorne con el aguacate, el tomate y las rodajas de rábano, y sirva inmediatamente.

## VARIACIÓN

*Para preparar un bocadillo de esta ensalada, abra por la mitad un panecillo alargado o un trozo de pan de barra, y ponga ensalada sobre una mitad. Ponga encima una generosa capa de queso. Coloque las dos mitades de pan bajo el grill para fundir el queso. Unte la mitad libre con un poco de mayonesa, y cierre el bocadillo. Sírvalo acompañado con salsa.*

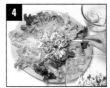

# Coliflor, zanahorias y chiles en escabeche

### Para 4 personas

## INGREDIENTES

3 cucharadas de aceite vegetal

1 cebolla cortada en rodajas finas

5 dientes de ajo laminados

3 zanahorias cortadas en rodajas finas

2 chiles verdes frescos, jalapeños o serranos, despepitados y cortados en tiras

1 coliflor pequeña, dividida en ramitos o cortada en trozos pequeños

$^1/_2$ pimiento rojo, despepitado y cortado en dados o tiras

1 tallo de apio, cortado en trocitos

$^1/_2$ cucharadita de hojas de orégano

1 hoja de laurel

$^1/_4$ de cucharadita de comino molido

80 ml de vinagre de sidra

sal y pimienta

1 Caliente el aceite en una sartén de base gruesa, y saltee ligeramente la cebolla con el ajo, la zanahoria, el chile, la coliflor, el pimiento y el apio, durante 1 minuto, hasta que se ablanden.

2 Añada el orégano, la hoja de laurel y el vinagre de sidra, y salpimente al gusto. Vierta agua suficiente para cubrir las verduras. Cuézalo todo junto durante unos 5-10 minutos, o hasta que las verduras estén tiernas, pero no demasiado blandas.

3 Rectifique de sal y pimienta, y añada vinagre si lo considera necesario. Deje que se enfríe y sírvalo como guarnición. La preparación se conserva hasta 2 semanas en la nevera, cubierta.

## SUGERENCIA

*Para manipular chiles y guindillas, póngase guantes de goma, y no se toque los ojos, pues le escocerían.*

# Quesadillas de queso y frijoles

### Para 4–6 personas

## INGREDIENTES

| | | |
|---|---|---|
| 8 tortillas de harina de trigo | ¹/₂ ración de frijoles refritos mexicanos (véase pág. 146) o frijoles refritos (véase pág. 144) | ¹/₂ ramito de hojas de cilantro fresco, picado |
| 200 g de queso cheddar rallado | | 1 ración de salsa cruda (véase página 96) |
| 1 cebolla picada | | |

1 En primer lugar, ablande las tortillas calentándolas un poco en una sartén antiadherente ligeramente engrasada.

2 Retire las tortillas de la sartén y, con rapidez, extienda sobre ellas una capa de frijoles calientes. Ponga por encima queso rallado, cebolla, cilantro fresco y una cucharada de salsa. Enrolle bien las tortillas.

3 Justo antes de servirlas, caliente la sartén antiadherente a fuego medio, y rocíela con unas gotas de agua. Ponga los rollitos, tape la sartén y caliéntelos hasta que el queso se funda. Si lo desea, puede esperar que se doren un poco.

4 Retire los rollitos de la sartén y córtelos en diagonal, en unos 4 trozos. Sírvalos inmediatamente.

## SUGERENCIA

*También puede calentar las tortillas en el microondas, pero tenga cuidado de no dejarlas demasiado tiempo, porque se volverían correosas.*

## VARIACIONES

*Si desea un relleno más ligero, sustituya los frijoles por ramitos de brécol ligeramente cocido o setas variadas cortadas en láminas y salteadas.*

*También puede utilizar frijoles negros de lata, escurridos, en lugar de frijoles refritos. Para un sutil cambio de sabor, aderece las quesadillas con salsa chipotle (véase pág. 98) en lugar de salsa cruda.*

# Quesadillas de chorizo y alcachofa

### Para 4-6 personas

## INGREDIENTES

1 guindilla verde suave mediana o un pimiento verde (opcional)

8-10 corazones de alcachofa en adobo o de lata, escurridos y cortados en dados

1 chorizo

4 tortillas de maíz calientes

2 dientes de ajo finamente picados

350 g de queso rallado

1 tomate cortado en dados

2 cebolletas cortadas en rodajas finas

1 cucharada de cilantro picado

1 Corte el chorizo en dados. Caliente una sartén de base gruesa, y fríalo hasta que esté un poco dorado.

2 Si utiliza la guindilla o el pimiento, póngalo bajo el grill caliente unos 10 minutos, o hasta que la piel esté chamuscada y la pulpa, blanda. Póngalo en una bolsa de plástico, retuerza el extremo para cerrarla bien y espere unos 20 minutos. Con cuidado, quite la piel de la guindilla o el pimiento con un cuchillo; a continuación, extraiga las semillas y pique la pulpa.

3 Coloque el chorizo dorado y los corazones de alcachofa sobre las tortillas de maíz, y disponga la mitad en una bandeja de hornear.

4 Espolvoree con el ajo, y después con el queso rallado. Ponga las tortillas bajo el grill precalentado, y gratínelas hasta que el queso se funda y burbujee. Proceda así con el resto de las tortillas.

5 Espolvoree las tortillas calientes con los dados de tomate, la cebolleta, la guindilla verde o el pimiento si lo utiliza, y el cilantro fresco. Córtelas en triángulos y sírvalas inmediatamente.

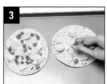

# Gambas y aguacate picante con tortillas crujientes

### Para 8-10 personas

## INGREDIENTES

500 g de gambas cocidas
4 dientes de ajo finamente
   picados
$^1/_2$ cucharadita de guindilla suave
   en polvo

$^1/_2$ cucharadita de comino molido
el zumo de 1 lima
1 tomate maduro cortado en
   dados
6 tortillas de maíz

aceite vegetal, para freír
2 aguacates
200 ml de crema agria
guindilla suave en polvo, para
   decorar

1 Ponga las gambas en un cuenco, junto con la guindilla, el ajo, el comino, el zumo de lima y el tomate. Sale al gusto y mezcle con cuidado. Déjelo como mínimo 4 horas en la nevera, o toda la noche, para que se mezclen los sabores.

2 Corte las tortillas en porciones triangulares. Caliente un poco de aceite en una sartén antiadherente y fría una tanda de triángulos a fuego medio hasta que estén crujientes. Repita con el resto y póngalos en una fuente.

3 Corte los aguacates por la mitad alrededor del hueso. Separe las dos mitades y retírelo. Pélelos y corte la pulpa en dados. Con suavidad, mezcle el aguacate con las gambas adobadas.

4 Ponga sobre cada triángulo de tortilla un montoncito de mezcla de gambas y aguacate. Ponga encima un cucharadita de crema agria, espolvoree ligeramente con guindilla en polvo, y sírvalos de inmediato, mientras estén calientes y crujientes.

## SUGERENCIA

*Para ganar tiempo, use tortillas de maíz fritas ("tostadas") o nachos (no demasiado salados) ya preparados.*

## VARIACIÓN

*Sustituya las gambas por taquitos de mozzarella o pecorino fresco y déjelo macerar unas cuantas horas.*

# Nachos con frijoles negros

### Para 4 personas

## INGREDIENTES

225 g de frijoles negros
secos o de lata,
escurridos
175-225 g de queso rallado,
tipo cheddar, fontina,
pecorino o asiago, o
una mezcla de varios

aprox. ¹/₄ de cucharadita
de semillas de comino
o comino molido
unas 4 cucharadas de crema
agria
rodajitas de chiles jalapeños
en escabeche (opcional)

1 cucharada de cilantro fresco
picado
un puñado de tiras de hojas
de lechuga
nachos, para servir

1 Si utiliza frijoles secos,
déjelos en remojo toda la
noche y escúrralos. Póngalos
en una cazuela, cúbralos con
agua y llévelos a ebullición.
Hiérvalos 10 minutos, baje
la temperatura y cuézalos
1¹/₂ horas, hasta que estén
tiernos. Escúrralos bien.

2 Extienda los frijoles
sobre una fuente llana
para el horno y espolvoree
con el queso rallado y el
comino.

3 Caliéntelo en el horno
precalentado a 190 °C

unos 10-15 minutos, o hasta
que los frijoles estén bien
cocidos, y el queso burbujee
y esté fundido.

4 Retírelo del horno y
ponga cucharadas de
crema agria por encima.
Añada los jalapeños, si lo
desea, y espolvoree con
cilantro fresco y tiras de
lechuga.

5 Coloque los nachos
alrededor de los frijoles,
insertándolos. Sirva el plato
de inmediato, de modo que
el queso no se enfríe.

## VARIACIÓN

*Para dar al plato sabor
a carne, espolvoree los
frijoles con trocitos de
chorizo frito antes de
poner el queso, y siga
a partir del paso 3.
La mezcla es excelente.
También puede
aprovechar carne cocida
que le haya sobrado
de otro plato, cortada en
trocitos, y proceder
del mismo modo
que con el chorizo.*

# Nachos con frijoles refritos

### Para 6-8 personas

## INGREDIENTES

400 g de frijoles refritos
1 lata de 400 g de alubias pintas
un pellizco de comino molido
un pellizco de guindilla suave
    molida
225 g de queso cheddar rallado

1 bolsa de 175 g de nachos
salsa de su elección
1 aguacate, sin el hueso, en dados
    y pasado por zumo de lima
¹/₂ cebolla pequeña
    o 3-5 cebolletas, picadas

2 tomates maduros cortados
    en dados
un puñado de tiras de hojas de
    lechuga
3-4 cucharadas de cilantro fresco
crema agria, para servir

1 Ponga los frijoles refritos en una cazuela con las alubias pintas, el comino y la guindilla en polvo. Añada agua suficiente para obtener una consistencia de sopa espesa, y remueva con suavidad para que las alubias no pierdan su textura.

2 Caliente la mezcla a fuego lento, baje la temperatura y manténgala caliente mientras prepara el resto del plato.

3 Ralle el queso. Coloque la mitad de los nachos sobre la base de una cazuelita

de barro refractaria, y cúbralos con la mezcla de alubias. Esparza el queso por encima y déjelo en el horno precalentado a 200 °C hasta que el queso se funda.

4 También puede colocar la cazuelita bajo el grill y calentarlo 5-7 minutos, hasta que el queso se funda y burbujee.

5 Sobre el queso fundido, ponga la salsa, el aguacate, la cebolla, el tomate, la lechuga y el cilantro fresco. Rodee con el resto de los nachos y sirva el plato de

inmediato con una cucharada de crema agria.

## VARIACIÓN

*Como alternativa, sustituya la crema agria por yogur griego.*

# *Sincronizadas*

### Para 6 personas

## INGREDIENTES

| | | |
|---|---|---|
| aceite vegetal, para engrasar | unos 500 g de queso rallado | salsa de su elección |
| unas 10 tortillas de harina de trigo | 225 de jamón cocido, cortado en dados | crema agria a las hierbas, para servir |

1 Engrase ligeramente una sartén antiadherente. Fuera del fuego, coloque 1 tortilla en la sartén, y ponga encima una capa de queso y de jamón. Cubra otra tortilla con salsa, y colóquela, con el lado de la salsa hacia abajo, sobre la tortilla con queso y jamón.

2 Caliéntelas a fuego medio hasta que el queso esté fundido, y la base de la tortilla, dorada.

3 Coloque un plato boca abajo sobre la sartén. Procurando no quemarse, sostenga el plato y déle la vuelta a la sartén para que el "bocadillo" quede en el plato.

4 Vuelva a deslizar las tortillas en la sartén, y déjalas hasta que la parte inferior esté dorada.

5 Retire las sincronizadas de la sartén y sírvalas cortadas en triángulos, acompañadas con la crema agria a las hierbas.

## SUGERENCIA

*Para dar la vuelta a las tortillas, protéjase las manos con manoplas para el horno.*

## VARIACIÓN

*Sincronizadas vegetarianas: para sustituir el jamón, saltee 225 g de champiñones cortados en láminas finas con un poco de aceite de oliva y un diente de ajo majado.*
*O bien, fría un poco de ajo picado muy fino con unas gotas de aceite y añada hojas de espinaca lavadas. Cuézalas hasta que se ablanden y píquelas.*

# *Tortas*

### Para 4 personas

## INGREDIENTES

4 panecillos crujientes

mantequilla derretida o aceite
de oliva, para pintar

225 g de frijoles refritos

350 g de carne de pollo cocida
cortada en tiras, trozos de
chorizo frito, rodajas
de jamón en dulce y queso

o cualquier carne cocida
sobrante que tenga a mano

1 tomate maduro, cortado
en rodajas o en dados

1 cebolla pequeña, finamente
picada

2 cucharadas de cilantro fresco
picado

1 aguacate, deshuesado, cortado
en rodajas y pasado por zumo
de lima

4-6 cucharadas de crema agria
o yogur griego

salsa de su elección

un puñado de tiras finas
de lechuga

1 Abra los panecillos por la mitad y quite un poco de miga, para dejar más espacio para el relleno.

2 Pinte los panecillos por dentro y por fuera con mantequilla o aceite, y tuéstelos por los dos lados sobre una parrilla caliente o una sartén, durante unos minutos, hasta que estén crujientes. También puede dejarlos en el horno precalentado a 200 ºC hasta que estén ligeramente tostados.

3 Mientras tanto, ponga los frijoles en un cazo con una cantidad mínima de agua y caliéntelas lentamente.

4 Cuando los panecillos estén calientes, extienda una buena capa de frijoles sobre una mitad y ponga encima una capa de carne cocida. Finalmente, ponga el tomate, la cebolla, el cilantro fresco y el aguacate.

5 Unte generosamente la otra mitad del panecillo con crema agria o yogur.

Rocíe el relleno con la salsa, añada un poco de lechuga y junte las dos mitades, ejerciendo una ligera presión. Sirva las tortas en cuanto estén listas.

## VARIACIÓN

*Para variar el sabor, añada cualquier salsa mexicana al relleno de carne, por ejemplo la de chile verde (véase pág. 204).*

# *Molletes*

### Para 4 personas

## INGREDIENTES

4 panecillos
aceite vegetal
1 lata de 400 g de frijoles refritos
1 cebolla picada
3 dientes de ajo picados
3 lonchas de beicon cortadas en
    tiras, o unos 85 g de chorizo
    picante cortado en dados

225 g de tomates, frescos o de
    lata, cortados en dados
$1/4$-$1/2$ cucharadita de comino
    molido
250 g de queso rallado

ENSALADA DE COL:
$1/2$ col cortada en tiras finas

2 cucharadas de jalapeños
    en escabeche, cortados
    en rodajas
1 cucharada de aceite de oliva
    virgen extra
3 cucharadas de vinagre de sidra
$1/4$ de cucharadita de orégano seco
sal y pimienta

1 Corte los panecillos por la mitad, y quite un poco de miga para dejar más espacio para el relleno.

2 Para hacer la ensalada de col, mezcle la col con los jalapeños, el aceite de oliva y el vinagre. Sazone con sal, pimienta y orégano. Reserve.

3 Pinte los panecillos con aceite por dentro y por fuera. Colóquelos sobre una bandeja para el horno y tuéstelos en el horno precalentado a 200 °C durante unos 10-15 minutos, hasta que estén crujientes y tengan un color dorado por fuera.

4 Mientras tanto, ponga los frijoles en una sartén y caliéntelas lentamente con un poquito de agua, hasta obtener una pasta suave.

5 Caliente 1 cucharada de aceite en una sartén. Fría la cebolla con el ajo y el beicon o el chorizo hasta que estén dorados y la cebolla se haya ablandado. Añada el tomate y cuézalo a fuego suave, hasta que el tomate se desmenuce y se forme una salsa espesa.

6 Incorpore los frijoles y remueva para mezclar. Añada el comino que desee. Reserve.

7 Retire los panecillos del horno, pero no lo apague. Rellene la base de los panecillos con la mezcla caliente, ponga el queso encima y cúbralo con la otra mitad del bocadillo, presionando. Vuelva a ponerlos en la bandeja para el horno y caliéntelos hasta que se funda el queso.

8 Abra los panecillos y deposite unas cucharadas de ensalada de col. Sirva.

# Empanadas de carne dulces y picantes

### Para 4 personas

### INGREDIENTES

350 g de pasta de hojaldre
harina, para espolvorear
1 ración de relleno de carne
    picante (véase pág. 198)

1 yema de huevo, batida
    con 1-2 cucharadas de agua

PARA SERVIR:
aceitunas verdes
guindillas variadas

1 Con el rodillo de cocina, extienda la pasta de hojaldre sobre una superficie ligeramente enharinada. Con un cortapastas de 15 cm de diámetro, recorte 8 redondeles.

2 Coloque una cucharada o dos de relleno en centro de cada redondel.

3 Pinte los bordes de los redondeles con el huevo batido, dóblelos por la mitad y presione para cerrar las empanadillas.

4 Presione los bordes con un tenedor para que las empanadillas queden bien

selladas. Pinche la parte superior con el tenedor, y colóquelas sobre una bandeja para el horno. Píntelas con el huevo batido.

5 Cueza las empanadas en el horno precalentado a 190 °C, unos 15-25 minutos o hasta que estén doradas por fuera y muy calientes por dentro.

6 Sírvalas inmediatamente, en cuanto salgan del horno, acompañadas con un cuenco con aceitunas y guindillas.

## VARIACIONES

*Si desea unas empanadas vegetarianas, sustituya el relleno de carne por una mezcla de tacos de queso gouda o cheddar, cebolla picada, cilantro fresco, semillas de comino y aceitunas verdes rellenas de pimiento, cortadas en rodajitas.*

*Para unas empanadas de pollo, sustituya el relleno de carne por pollo cocido y cortado en dados, sazonado con alguna salsa de guindilla no muy picante.*

# Tartaletas con frijoles y aguacate

## Para 4 personas

### INGREDIENTES

8-10 cucharadas de harina
    de maíz especial para masa
3 cucharadas de harina
    de trigo
una pizca de levadura en polvo
unos 225 ml de agua caliente
aceite vegetal, para freír

225 g de alubias pintas o frijoles
    refritos, calientes
1 aguacate deshuesado, cortado
    en rodajas y pasado por zumo
    de lima
85 g de queso fresco o cremoso,
    o feta desmenuzado

salsa de su elección
2 cebolletas cortadas en rodajitas

PARA DECORAR:
ramitas de perejil de hoja plana
    fresco
gajos de limón

1 En un cuenco, mezcle la harina de maíz para masa con la de trigo y la levadura en polvo, y añada agua suficiente para hacer una pasta húmeda pero firme.

2 Coja un pellizco de pasta del tamaño de una nuez y, con los dedos, déle forma de tartaleta, presionando y pellizcando para hacerla lo más delgada posible sin que se rompa. Repita la operación con el resto de la pasta.

3 Caliente un poco de aceite en una sartén honda hasta que humee. Fría una tanda de tartaletas, regándolas con cucharadas de aceite caliente, hasta que estén doradas por todos los lados.

4 Con una espumadera, retire las tartaletas del aceite caliente y deje que se escurran sobre papel absorbente. Póngalas sobre una bandeja para el horno y manténgalas calientes dentro del horno a temperatura baja mientras fríe el resto.

5 Para servir, rellene las tartaletas con los frijoles calientes, el aguacate, el queso, la salsa y la cebolleta. Adorne con perejil y gajos de limón, y sirva inmediatamente.

# Ensaladas *y* guarniciones

Las ensaladas de crujientes hortalizas crudas y frutas, con frecuencia servidas sobre otros platos, como enchiladas o parrilladas, están llenas de sabores intensos y frescos, así como de ricas vitaminas. Granada, papaya y cítricos se suelen mezclar con aguacate o pimientos rojos, y el resultado es asombroso.

En cuanto a ensaladas más consistentes, la ensalada de carne, aguacate y alubias es un plato sustancioso, mientras que las calabacitas y el chorizo, dos ingredientes populares en México, forman la base de un estupendo refrigerio para la hora del almuerzo.

Para una deliciosa guarnición, pruebe un gratinado de patatas con salsa de guindilla roja suave, con capas de queso de cabra y horneado hasta que está crujiente, o los aromáticos chiles verdes asados con crema de ajo y comino, una guarnición clásica para todo tipo de platos principales.

Este capítulo también contiene salsas para extender sobre carnes y pescados o para rellenar tortillas: la salsa de tomate rápida puede acompañar todo tipo de platos, mientras que la salsa picante de guindillas secas dará el toque picante que es la mismísima esencia de la cocina mexicana. Y resulta absolutamente recomendable probar el mole poblano, la clásica salsa mexicana de chiles rojos y chocolate.

# Ensalada de papaya, aguacate y pimiento rojo

### Para 4-6 personas

## INGREDIENTES

200 g de hojas para ensalada
verde mixta
2-3 cebolletas picadas
3-4 cucharadas de cilantro fresco
picado
1 papaya pequeña
2 pimientos rojos
1 aguacate
1 cucharada de zumo de lima

3-4 cucharadas de pipas de
calabaza, preferiblemente
tostadas (opcional)

ALIÑO:
el zumo de 1 lima
un buen pellizco de pimentón
un buen pellizco de comino
molido

un buen pellizco de azúcar
1 diente de ajo finamente picado
4 cucharadas de aceite de oliva
virgen extra
un chorrito de vinagre de vino
blanco (opcional)
sal

1 En una ensaladera grande, mezcle bien las hojas de ensalada con la cebolleta y el cilantro.

2 Corte la papaya por la mitad y retire las semillas con una cuchara. Córtela en cuartos, pélela y corte los cuartos en rodajas. Colóquelas sobre las hojas de ensalada. Corte los pimientos por la mitad, quite las semillas y córtelos en tiras finas. Añada los pimientos a la ensalada.

3 Corte el aguacate por la mitad alrededor del hueso. Separe las dos mitades y retire el hueso con un cuchillo. Pélelo con cuidado, corte la pulpa en dados y páselos por el zumo de lima para que no se ennegrezcan. Mézclelo con el resto de los ingredientes de la ensalada.

4 Para hacer el aliño, bata el zumo de lima con el pimentón, el comino molido, el azúcar, el ajo y el aceite de oliva. Sale a su gusto.

5 Vierta el aliño sobre la ensalada y remueva ligeramente, añadiendo un chorrito de vinagre de vino si prefiere un sabor más intenso. Espolvoree con las pipas de calabaza tostadas, si lo desea.

# Ensalada de judías verdes con queso feta

### Para 4 personas

## INGREDIENTES

350 g de judías verdes, con
las puntas recortadas
1 cebolla roja picada
3-4 cucharadas de cilantro fresco
picado

2 rábanos cortados en rodajitas
75 g de queso feta desmenuzado
1 cucharadita de orégano fresco
picado o ½ cucharadita de
seco

2 cucharadas de vinagre de vino
tinto o de fruta
80 ml de aceite de oliva virgen
3 tomates maduros, en gajos
pimienta

1 Vierta unos 5 cm de agua en la parte inferior de una vaporera y llévela a ebullición. Ponga las judías en el colador de la vaporera, cúbrala, y cuézalas al vapor unos 5 minutos, hasta que estén tiernas.

2 Ponga las judías en un cuenco, y añada la cebolla, el cilantro, los rábanos y el queso feta.

3 Espolvoree la ensalada con el orégano, y muela un poco de pimienta por encima. Mezcle el vinagre con el aceite, y viértalo sobre la ensalada. Remueva con suavidad, para mezclarlo todo bien.

4 Disponga la ensalada en una fuente, rodéela con los gajos de tomate, y sírvala inmediatamente, o bien déjela en la nevera hasta el momento de llevarla a la mesa.

## VARIACIÓN

*Esta receta también está deliciosa con nopales, unos cactus comestibles que en la cocina mexicana se utilizan como verdura. Se venden en lata o tarro, en tiendas especializadas. Simplemente, escurra los nopales, córtelos en rodajas y utilícelos en lugar de las judías verdes, saltándose el paso 1. Si usa nopales, sustituya el queso feta por 1-2 huevos duros picados.*

# Ensalada de cítricos con granada y aguacate

### Para 4 personas

## INGREDIENTES

1 granada grande
1 pomelo
2 naranjas dulces
la ralladura fina de $^1/_2$ lima
1-2 dientes de ajo finamente
   picados
el zumo de 2 limas

3 cucharadas de vinagre de vino
   tinto
$^1/_2$ cucharadita de azúcar
4-5 cucharadas de aceite de oliva
   virgen extra
1 lechuga de hojas rojizas, lavada
   y escurrida

$^1/_4$ de cucharadita de mostaza seca
1 aguacate, deshuesado, cortado
   en dados y pasado por un
   poco de zumo de lima
sal y pimienta
$^1/_2$ cebolla roja, en rodajitas finas,
   para adornar

1 Corte la granada en cuartos y ejerza presión para ir retirando la piel y que los granos caigan en un cuenco.

2 Con un cuchillo afilado, corte las partes superior e inferior del pomelo, y a continuación quite la piel y la parte blanca, cortando hacia abajo. Corte los gajos entre las membranas y mézclelos con la granada.

3 Ralle muy fina la piel de media naranja y resérvela. Con un cuchillo afilado, corte las partes superior e inferior de las dos naranjas, y vaya quitando la piel y la parte blanca, cortando hacia abajo, y con cuidado de que no pierdan la forma. Corte las naranjas en rodajas horizontales y después en cuartos. Añada las naranjas a la granada y al pomelo, y remueva para mezclar.

4 Mezcle la ralladura de naranja reservada con la ralladura de lima, el ajo, el vinagre, el zumo de lima, el azúcar y la mostaza. Salpimente y agregue el aceite de oliva, batiendo.

5 Coloque las hojas de lechuga en una ensaladera y ponga por encima la mezcla de cítricos y el aguacate. Vierta el aliño y agite ligeramente. Adorne la ensalada con los aros de cebolla, y sírvala.

# Calabacín y tomate con vinagreta de chiles verdes

### Para 4-6 personas

## INGREDIENTES

1 chile verde suave, fresco
y grande, o bien 1 pimiento
verde y 1/2-1 chile verde
fresco

2-3 dientes de ajo finamente
picados

4 calabacines cortados en rodajas

una pizca de azúcar

1/4 de cucharadita de comino
molido

2 cucharadas de vinagre de vino
blanco

4 cucharadas de aceite de oliva
virgen extra

2-3 cucharadas de cilantro

4 tomates maduros, cortados
en dados o en rodajas

sal y pimienta

1 Ase el chile
o la combinación
de pimiento y chile en
una sartén de base gruesa
sin engrasar, o bajo el grill
precalentado, hasta que
la piel esté chamuscada.
Introdúzcalo en una bolsa
de plástico, ciérrela
bien y déjelo reposar
20 minutos.

2 Quite la piel del chile
y del pimiento, si lo usa,
y a continuación extraiga las
semillas y córtelos en rodajas.
Reserve.

3 Vierta unos 5 cm de
agua en la parte inferior
de una vaporera y llévela
a ebullición. Ponga los
calabacines en el colador de la
vaporera, cúbrala, y cuézalos
al vapor unos 5 minutos,
hasta que estén tiernos.

4 Mientras tanto, en un
bol, mezcle bien el ajo
con el azúcar, el comino, el
vinagre, el aceite de oliva y
el cilantro. Añada el chile
y el pimiento, en caso de
que lo utilice, y salpimente
al gusto.

5 Coloque los calabacines
y los tomates en una
ensaladera y ponga encima
cucharadas del aliño. Si lo
desea, remueva un poco
con suavidad, y sirva.

## VARIACIÓN

*Mezcle 225 g de gambas
cocidas y peladas con el
calabacín y el tomate, y
recubra con el aliño según
se indica en el paso 5.*

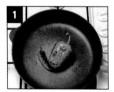

# Ensalada de carne, frijoles y aguacate

### Para 4 personas

## INGREDIENTES

350 g de carne tierna, por ejemplo solomillo o filete

4 dientes de ajo picados

el zumo de 1 lima

4 cucharadas de aceite de oliva virgen extra

1 cucharada de vinagre de vino blanco o tinto

1/4 de cucharadita de guindilla suave molida

1/2 cucharadita de pimentón

1/4 de cucharadita de comino molido

una pizca de azúcar (opcional)

5 cebolletas cortadas en rodajitas

unos 200 g de hojas de lechuga, o una mezcla de hojas verdes

1 lata de 400 g de alubias pintas o frijoles negros o colorados, escurridos

2 tomates maduros, en dados

1 aguacate, deshuesado, cortado en rodajas y pasado por un poco de zumo de lima

1/4 de chile verde o rojo, fresco, picado

3 cucharadas de cilantro picado

1 lata 225 g de maíz dulce, escurrido

un buen puñado de nachos troceados

sal y pimienta

1 Ponga la carne en una fuente que no sea metálica, con el ajo y la mitad del zumo de lima y del aceite. Salpimente y déjelo macerar.

2 Para preparar el aliño, mezcle el resto del zumo de lima y del aceite con el vinagre, la guindilla molida, el comino y el pimentón. Añada una pizca de azúcar, al gusto. Reserve.

3 Fría la carne en una sartén o ásela bajo el grill precalentado, hasta que esté dorada por fuera y, por dentro, cocida al punto que prefiera. Retírela de la sartén, córtela en tiras y resérvela; manténgala caliente, o bien deje que se enfríe.

4 Mezcle la cebolleta con la lechuga y dispóngalas en una fuente. Vierta la mitad del aliño por encima, y después disponga el maíz, las alubias, el aguacate y los tomates. Esparza la guindilla y el cilantro.

5 Disponga la carne y los nachos por encima, vierta el resto del aliño, y sirva la ensalada inmediatamente.

# Calabacines y calabacitas con chorizo

### Para 4 personas

## INGREDIENTES

2 calabacines cortados
  en rodajas finas

2 calabacitas amarillas,
  cortadas en rodajas
  finas

2 chorizos frescos, cortados
  en dados o rodajas

3 dientes de ajo finamente
  picados

el zumo de $1/2$-1 lima

1-2 cucharadas de cilantro fresco
  picado

sal y pimienta

1 Cueza los calabacines y las calabacitas en agua hirviendo con sal durante 3-4 minutos, hasta que empiecen a estar tiernos; escúrralos bien.

2 Dore el chorizo en una sartén de base gruesa, desmenuzándolo con una cuchara de madera. Retire el exceso de grasa, y añada el ajo y los calabacines y las calabacitas escalfados. Rehogue unos minutos, removiendo con suavidad para que los sabores se mezclen bien.

3 Agregue el zumo de lima, al gusto. Salpimente y sirva el plato de inmediato, espolvoreado con el cilantro picado.

## SUGERENCIA

*Las calabacitas, de sabor suave e ideales para combinar con carnes picantes, son una de las hortalizas preferidas en México. Si lo desea, puede preparar este plato sólo con una variedad, por ejemplo, calabacitas amarillas.*

## VARIACIÓN

*Para dar más variedad al plato, utilice la variedad más exótica de calabaza, conocida como chayote o cho-cho, autóctona de México. Tiene forma de pera y es de un verde pálido, con la piel ondulada. Para prepararla, pélela y córtela en rodajas, y cuézala según se indica en el paso 1, pero déjela hervir unos minutos más. Para mayor contraste, utilice calabacines amarillos.*

# *Calabacita con chiles verdes, tomate y maíz*

### Para 4–6 personas

## INGREDIENTES

2 mazorcas de maíz

2 calabacines pequeños, o alguna otra calabacita verde, cortados en dados o rodajas

2 calabacitas amarillas, cortadas en dados o rodajas

2 cucharadas de mantequilla

3 dientes de ajo finamente picados

3-4 tomates maduros y sabrosos, cortados en dados

unos pellizcos de guindilla suave en polvo

unos pellizcos de comino molido

½ chile verde fresco, por ejemplo jalapeño, despepitado y picado

una pizca de azúcar

sal y pimienta

1 En la parte inferior de una vaporera, lleve unos 5 cm de agua a ebullición. Ponga las mazorcas, los calabacines y la calabacita en el colador, cúbralo y cuézalo al vapor unos 3 minutos, según la madurez y la frescura de las hortalizas. También puede escaldarlas en agua hirviendo con sal durante unos 3 minutos, y después escurrirlas. Espere a que se enfríen lo suficiente para poder manipularlas.

2 Con un cuchillo grande desgrane las mazorcas; reserve el maíz.

3 Derrita la mantequilla en una sartén de base gruesa, y rehogue el ajo 1 minuto para ablandarlo. Añada el tomate, la guindilla molida, el comino molido, el chile verde y el azúcar que desee. Salpimente al gusto y cuézalo unos minutos, para que se mezclen los sabores.

4 Añada el maíz, el calabacín y la calabacita. Caliéntelo todo bien durante 2 minutos, removiendo, y sírva inmediatamente.

## VARIACIÓN

*Si sobra un poco, puede utilizarlo como base para una estupenda sopa de verano: vierta una buena cantidad de caldo, y añada hierbas picadas.*

# Patatas en salsa verde

### Para 6 personas

## INGREDIENTES

1 kg de patatas harinosas
    pequeñas, peladas
1 cebolla cortada por la mitad
    y sin pelar
8 dientes de ajo sin pelar
1 guindilla verde fresca
8 tomatillos, o tomates ácidos
    pequeños (los tomatillos son
    frutas pequeñas y redondas
    de color verde pálido, cuyo

sabor es semejante al de los
    tomates verdes)
225 ml de caldo de verduras,
    pollo o carne, preferiblemente
    casero
$^1/_2$ cucharadita de comino molido
1 ramita de tomillo fresco,
    o un buen pellizco de seco
1 ramita de orégano fresco,
    o un buen pellizco de seco

2 cucharadas de aceite de oliva
    virgen extra
1 calabacín troceado
1 ramito de cilantro fresco picado
sal

1 Ponga las patatas en una cazuela con agua y sal. Cuézalas durante unos 15 minutos, o hasta que casi estén tiernas. No las deje cocer en exceso. Escúrralas y resérvalas.

2 En una sartén de base gruesa sin engrasar, ase ligeramente la cebolla, el ajo, la guindilla y los tomatillos o tomates. Deje que se entibien y, cuando hayan dejado de quemar, pélelos

y píquelos. Ponga el picadillo en una batidora con la mitad del caldo, y bata hasta obtener un puré. Añada el comino, el tomillo y el orégano.

3 Caliente el aceite en la sartén de base gruesa. Vierta el puré y cuézalo durante 5 minutos, removiendo, para que se reduzca ligeramente y el sabor quede más concentrado.

4 Incorpore las patatas y el calabacín, y vierta el resto del caldo. Añada la mitad del cilantro y cuézalo otros 5 minutos, o hasta que el calabacín esté tierno.

5 Ponga la preparación en un cuenco para servir, y espolvoree con el resto del cilantro picado para adornar.

# Patatas con queso de cabra y crema de chipotle

### Para 4 personas

## INGREDIENTES

1,25 kg de patatas para asar, peladas y troceadas
una pizca de sal
una pizca de azúcar
200 ml de nata fresca espesa
125 ml de caldo de pollo o de verduras

3 dientes de ajo finamente picados
unos chorritos de salsa chipotle embotellada, o $^1/_2$ chipotle seco rehidratado (véase pág. 100), sin semillas y cortado en rodajitas

225 g de queso de cabra cortado en lonchas
175 g de mozarella o queso cheddar, rallado
50 g de queso parmesano o pecorino, rallado
sal

1 Ponga las patatas en una cazuela con agua, sal y azúcar. Cuézalas sólo durante unos 10 minutos.

2 Mezcle la nata fresca con el caldo, el ajo y la salsa chipotle.

3 Coloque la mitad de las patatas en una cazuela de barro. Vierta la mitad de la crema de nata y añada el queso de cabra. Ponga encima el resto de patatas y la salsa.

4 Espolvoree con el queso rallado, primero con el cheddar o mozarella, y después con el parmesano o pecorino.

5 Cuézalo en el horno precalentado a 180 °C, hasta que las patatas estén tiernas y la capa de queso, ligeramente dorada y un poco crujiente en algunos puntos. Sírvalo inmediatamente.

# Chiles verdes asados con crema de ajo y comino

### Para 4-6 personas

## INGREDIENTES

4 chiles verdes frescos, del tipo
anaheim o poblano, o una
mezcla de 4 pimientos verdes
y 2 jalapeños
2 cucharadas de mantequilla

1 cebolla finamente picada
3 dientes de ajo picados
$^1/_4$ de cucharadita de comino
molido
225 ml de nata líquida

225 ml de caldo de pollo
o de verduras
sal y pimienta
1 lima, partida por la mitad, para
servir

1 Ase los chiles verdes,
o la mezcla de pimientos
y jalapeños, en una sartén
de base gruesa sin engrasar
o bajo el grill precalentado,
hasta que la piel esté
chamuscada. Introdúzcalos
en una bolsa de plástico,
cierre bien y déjelos reposar
durante 20 minutos para
que la piel se desprenda.

2 Elimine las semillas
de los chiles verdes y
los pimientos, si los utiliza,
y después pélelos.
Córtelos en rodajas
y resérvelos.

3 Derrita la mantequilla
en una sartén grande,
y saltee el ajo y la cebolla
durante unos 3 minutos,
hasta que se ablanden.
Espolvoree con el comino
y salpimente al gusto.

4 Incorpore los chiles
y vierta la nata líquida
y el caldo. Cuézalo a fuego
medio, removiendo, hasta
que el líquido se reduzca
y forme una densa y sabrosa
salsa cremosa.

5 Sirva el plato en una
fuente, bien caliente,

rociado con zumo de lima
en el último momento.

## VARIACIÓN

*Añada el mismo volumen
de maíz dulce junto con
los chiles: le dará
un delicioso sabor dulce
al plato.*

# Salsa de tomate rápida

### Para 4-6 personas

## INGREDIENTES

2 cucharadas de aceite de oliva
o vegetal
1 cebolla cortada
en rodajitas
5 dientes de ajo cortados
en rodajitas

1 lata de 400 g de tomates
enteros, cortados en dados,
más el jugo, o bien 600 g
de tomates frescos cortados
en dados

un poco de guindilla suave
en polvo
350 ml de caldo de pollo
o de verduras
sal y pimienta
una pizca de azúcar (opcional)

1 Caliente el aceite en una sartén grande y rehogue la cebolla y el ajo, removiendo, hasta que empiecen a ablandarse.

2 Incorpore el tomate, guindilla en polvo al gusto y el caldo de pollo o de verduras. Cuézalo a fuego medio unos 10 minutos, o hasta que el tomate se haya reducido ligeramente y el sabor de la salsa esté más concentrado.

3 Sazone la salsa con sal, pimienta y azúcar al gusto, y sírvala caliente.

## SUGERENCIA

*Esta salsa se conserva hasta tres días en la nevera.*

## SUGERENCIA

*Si utiliza tomates frescos, asegúrese de que estén maduros y sean de una variedad muy sabrosa. Pélelos y elimine las semillas antes de trocearlos.*

## VARIACIÓN

*Para una salsa más picante, añada 1/2 cucharadita de chile fresco finamente picado con la cebolla.*

# Salsa de tomate picante

### Para 4 personas

### INGREDIENTES

2-3 chiles verdes frescos,
  jalapeños o serranos
225 g de tomate de lata
  troceado
1 cebolleta cortada en rodajitas
2 dientes de ajo picados

2-3 cucharadas de vinagre
  de sidra
50-80 ml de agua
un buen pellizco de orégano seco
un buen pellizco de comino
  molido

un buen pellizco de azúcar
un buen pellizco de sal

1 Corte los chiles por la
  mitad, quite las semillas,
si lo desea, y píquelos.

2 Ponga el chile picado en
  una batidora o picadora,
junto con el tomate, la
cebolleta, el ajo, el vinagre,
el agua, el orégano, el
comino, el azúcar y la sal.
Bata hasta que esté uniforme.

3 Rectifique de sal y azúcar
  y guarde la salsa en la
nevera hasta que la necesite.
En la nevera, tapada, se
conservará hasta una
semana.

## SUGERENCIA

*Si tiene la piel sensible,
sería aconsejable que se
pusiera unos guantes de
goma para preparar los
chiles, porque
desprenden una
sustancia que puede
causar irritación. Nunca
se toque los ojos cuando
manipule chiles.*

# *Salsa de chile rojo suave*

### Para unos 350 ml

## INGREDIENTES

5 chiles suaves, frescos y grandes, de tipo Nuevo México o ancho

450 ml de caldo de pollo o de verduras

1 cucharada de harina de maíz especial para masa o 1 nacho triturado y mezclado con agua suficiente para hacer una pasta fina

un buen pellizco de comino molido

1-2 dientes de ajo finamente picados

el zumo de 1 lima

sal

1 Sujetándolos con unas pinzas metálicas, ase los chiles sobre la llama del fogón hasta que se chamusquen por todos los lados. También puede asarlos bajo el grill precalentado, dándoles la vuelta con frecuencia.

2 Ponga los chiles en un cuenco y vierta agua hirviendo encima. Cúbralos y deje que se enfríen.

3 Mientras tanto, ponga el caldo en una cazuela y llévelo despacio a ebullición.

4 Cuando los chiles se hayan enfriado, hinchado y ablandado, retírelos del agua con una espumadera. Extraiga las semillas y corte o desmenuce la pulpa en trocitos. Póngalos en una batidora o picadora. Bata hasta obtener un puré, y mézclelo con el caldo caliente.

5 Ponga el puré de chile en una cazuela. Añada la harina de maíz o la pasta de nacho, el comino, el ajo y el zumo de lima. Llévelo a ebullición y cuézalo durante unos minutos, removiendo, hasta que la salsa se haya espesado. Rectifique de sal y sirva.

# Salsa picante
# de guindillas secas

### Para unos 225 ml

## INGREDIENTES

10 guindillas secas de árbol,
sin el rabillo (véase la
segunda sugerencia)
225 ml de vinagre de sidra
o de vino blanco

$^1/_2$ cucharadita de sal

1 Ponga las guindillas
secas en un mortero
y májelas bien finas.

2 Ponga el vinagre de sidra
o de vino blanco en un
cazo, y añada las guindillas
majadas y la sal. Mezcle bien
y lleve el líquido a ebullición.

3 Retírelo del fuego y
deje que se enfríe por
completo, para que los
sabores maduren. Vierta la
salsa en un cuenco y sírvala.
La salsa se conserva hasta un
mes si se guarda bien tapada
en la nevera.

## SUGERENCIA

*Puede embotellar
la salsa picante
en frascos esterilizados,
tal como lo haría
con una mermelada
o gelatina.*

## SUGERENCIA

*Las guindillas de árbol son
un tipo de guindilla seca
alargada, roja, picante, con
un sabor a polvo que
recuerda el desierto. Si
no las encuentra, utilice
cualquier variedad seca
picante o copos de cayena.*

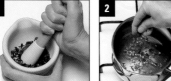

# *Mole poblano*

### Para 8-10 personas

## INGREDIENTES

3 chiles mulato

3 chiles ancho suaves

5-6 chiles Nuevo México
o California

1 cebolla picada

5 dientes de ajo picados

450 g de tomates maduros

2 tortillas, preferiblemente
pasadas, cortadas en trocitos

1 pellizco de clavo

1 pellizco de semillas de hinojo

1/8 de cucharadita de cada de
canela, cilantro y comino

3 cucharadas de semillas de
sésamo ligeramente tostadas,
o tahín

3 cucharadas de almendras
escaldadas, en láminas o
picadas gruesas

2 cucharadas de pasas

1 cucharada de crema de
cacahuete (opcional)

450 ml de caldo de pollo

3-4 cucharadas de chocolate puro
rallado, y un poco para decorar

2 cucharadas de guindilla suave
molida

3 cucharadas de aceite vegetal

1 cucharada de zumo de lima

sal y pimienta

1 Sujetándolos con unas pinzas metálicas, tueste los chiles de uno en uno sobre la llama del fogón durante unos segundos, hasta que se chamusquen. O bien, áselos en una sartén sin engrasar 30 segundos, a fuego medio, dándoles la vuelta constantemente.

2 Ponga los chiles en un cuenco o cazo, vierta agua hirviendo encima, cúbralos y deje que se ablanden como mínimo 1 hora, o toda la noche. Una o dos veces, levante la tapa y recoloque los chiles, para que se remojen de manera uniforme.

3 Retire los chiles ablandados del agua. Descarte rabillos y semillas, y corte la pulpa en trozos. Póngala en una batidora.

4 Añada la cebolla, el ajo, los tomates, las tortillas, el clavo, el hinojo, la canela, el cilantro, el comino, el sésamo, las almendras, las pasas y la crema de cacahuete, y bata bien. Con el motor en marcha, añada suficiente caldo para obtener una pasta suave. Añada el resto del caldo, el chocolate y la guindilla molida.

5 Caliente el aceite en una cazuela de base gruesa hasta que humee, y vierta la pasta de mole. Salpicará al tocar el aceite caliente. Cuézala unos 10 minutos, removiendo de vez en cuando para evitar que se queme.

6 Sazone con sal, pimienta y zumo de lima, adorne con el chocolate rallado y sirva.

# Mole verde

### Para 4 personas

## INGREDIENTES

250 g de pepitas de calabaza
    tostadas
1 litro de caldo de pollo
varios pellizcos de clavo
    molido
8-10 tomatillos cortados
    en dados, o 225 ml de salsa
    de tomatillo suave

$\frac{1}{2}$ cebolla picada
$\frac{1}{2}$ chile verde fresco, sin semillas
    y cortado en dados
3 dientes de ajo picados
$\frac{1}{2}$ cucharadita de hojas
    de tomillo fresco
$\frac{1}{2}$ cucharadita de hojas
    de mejorana fresca

3 cucharadas de manteca
    o de aceite vegetal
3 hojas de laurel
4 cucharadas de cilantro fresco
    picado
sal y pimienta
rodajas de chile verde fresco,
    para adornar

1 Triture las pepitas de calabaza en una picadora. Añada la mitad del caldo, el clavo, los tomatillos, la cebolla, el chile, el ajo, el tomillo y la mejorana, y haga un puré.

2 Caliente la manteca o el aceite en una sartén de base gruesa y añada el puré y las hojas de laurel. Cuézalo a fuego medio durante unos 5 minutos, hasta que se empiece a espesar.

3 Retírelo del fuego y añada el resto del caldo y el cilantro. Vuelva a poner la sartén al fuego y cueza la salsa hasta que se espese; retírela del fuego.

4 Quite las hojas de laurel y bata la salsa hasta que esté bien lisa. Salpimente al gusto.

5 Sirva el mole en un bol, adornado con las rodajas de chile verde.

## VARIACIÓN

*Prepare una masa para tamales (véase página 138) y escáldela en el mole como si fueran empanadillas: será un suculento tentempié.*

# Salsas, tortillas, alubias y arroz

*Las salsas están presentes en las mesas de cualquier rincón de México: crudas, cocidas, picadas, con texturas más o menos finas, extremadamente picantes o bien suaves. Son lo que da interés a una comida normalmente sencilla. Es más, son nutritivas y resultan deliciosas, siempre y cuando no le quemen la lengua. En este apartado encontrará desde la picante salsa verde hasta la suculenta salsa chipotle, de sabor ahumado, y la refrescante salsa de piña fresca.*

*Las tortillas no son sólo el pan de México, sino también su tenedor y su cuchillo: parta un trozo de tortilla, envuelva con ella aquello que esté comiendo, y tendrá un taco instantáneo, sin necesidad de cubiertos. La variedad de platos hechos con tortillas en este capítulo abarca desde los tacos rellenos de pescado y las tostadas con salsa verde y pollo, hasta los burritos rellenos de carne de cordero y frijoles negros.*

*En México se comen alubias o frijoles y arroz todos los días, en casi todas las comidas: en cualquier cocina encontrará siempre una olla con frijoles puesta al fuego. También se preparan suculentos platos de arroz con el caldo de las carnes estofadas. Descubra cómo preparar el famoso plato mexicano de alubias refritas, y aprenda el secreto del arroz verde, un plato delicioso, sazonado con cebollas asadas, ajo, chile y mucho cilantro.*

*Si no come más que salsas, tortillas, frijoles y arroz, estará consumiendo la mismísima esencia de México.*

# Dos salsas clásicas

### Para 4-6 personas

## INGREDIENTES

SALSA DE JALAPEÑOS:

1 cebolla finamente picada

2-3 dientes de ajo finamente picados

4-6 cucharadas de chiles jalapeños encurtidos, picados gruesos

$1/4$ de cucharadita de comino molido

el zumo de $1/2$ limón

SALSA CRUDA:

6-8 tomates maduros, finamente picados

3-4 dientes de ajo finamente picados

$1/2$-1 ramito de hojas de cilantro fresco, picado grueso

unos 100 ml de zumo de tomate

una pizca de azúcar

3-4 chiles verdes frescos, tipo jalapeño o serrano, sin semillas y finamente picados

$1/2$-1 cucharadita de comino molido

3-4 cebolletas finamente picadas

sal

1 Para hacer la salsa de jalapeños ponga en un cuenco la cebolla con el ajo, los jalapeños, el zumo de limón y el comino. Añada la sal y mézclelo todo bien. Tápela y guárdela en la nevera hasta que la necesite.

2 Para hacer una salsa cruda de textura gruesa, ponga todos los ingredientes en un bol, añadiendo sal al gusto. Tápela y guárdela en la nevera hasta que la necesite.

3 Si prefiere una textura más suave, bata todos los ingredientes en una batidora. Tape la salsa y guárdela en la nevera hasta que la necesite.

## VARIACIÓN

*Para dar un sabor fresco y afrutado a la salsa cruda, puede sustituir el tomate por gajos de naranja finamente picados y dados de pepino sin semillas.*

## SUGERENCIA

*Puede variar la cantidad de ajo, de chile y de especias molidas según su gusto, pero la salsa debe tener un sabor fuerte, de otro modo no será auténtica.*

# Salsa chipotle

### Para unos 450 ml

## INGREDIENTES

450 g de tomates jugosos y
  maduros, cortados en dados
3-5 dientes de ajo finamente
  picados
1 cebolla pequeña picada

¹/₂ ramito de hojas de cilantro
  fresco, picado grueso
1-2 cucharaditas del adobo de los
  chiles chipotle de lata
¹/₂-1 cucharadita de azúcar

zumo de lima, al gusto
una pizca de canela (opcional)
una pizca de pimienta de Jamaica
  molida (opcional)
una pizca de comino molido.

1 Ponga en una batidora o
  picadora los tomates, el
ajo y el cilantro.

2 Bata la mezcla hasta
  que quede fina, y a
continuación añada la cebolla,
el adobo de los chiles y el
azúcar.

3 Añada zumo de lima
  y sal al gusto, y después
agregue la canela, la pimienta
de Jamaica o el comino, si lo
desea.

4 Esta salsa estará más
  sabrosa si la sirve recién
hecha, pero puede guardarla
tapada en la nevera.

## SUGERENCIAS

*Para simplificar la
preparación, puede sustituir
los tomates frescos por 1 lata
de 400 g de tomate
triturado.*

*Encontrará chiles chipotle de
lata en tiendas
especializadas en productos
mexicanos.*

# Salsa chipotle cocida

### Para unos 450 ml

## INGREDIENTES

3 chiles chipotle secos
1 cebolla finamente picada
1 lata de 400 g de tomate,
2-3 cucharadas de azúcar
   moreno oscuro

2-3 dientes de ajo picados
una pizca de canela
una pizca de clavo molido o
   pimienta de Jamaica
un pellizco de comino molido

el zumo de ½ limón
1 cucharada de aceite de oliva
   virgen extra
tiras de piel de limón, para
   adornar

1 Ponga los chiles en un cazo con suficiente agua para cubrirlos. Protegiéndose la cara de las emanaciones y comprobando que la cocina esté bien ventilada, llévelos a ebullición y cuézalos unos 5 minutos.
Retire el cazo del fuego, tápelo y déjelo reposar hasta que los chiles se ablanden.

2 Retire los chiles del agua con una espumadera. Separe los rabillos y descarte las semillas.
Después puede rasparlos para extraer la pulpa de la piel o bien picarlos enteros.

3 Ponga en un cazo la cebolla con los tomates y el azúcar, y cuézala a fuego medio, removiendo, hasta que quede espeso.

4 Retire el cazo del fuego y añada el ajo, la canela, el clavo, el comino, el zumo de limón, el aceite de oliva y los chiles chipotle ya preparados. Sálelo al gusto y déjelo enfriar. Sirva esta salsa adornada con piel de limón.

## SUGERENCIAS

*No inhale las emanaciones durante el proceso de ebullición, porque pueden irritar los pulmones.*

*Puede congelar esta salsa sin ningún problema. Colóquela en una cubitera y, una vez congelada, guarde los cubitos en una bolsa de plástico. Estará lista para ser utilizada en porciones individuales.*

# Salsas mexicanas picantes

### Para 4-6 personas

## INGREDIENTES

**SALSA DE FRUTAS TROPICALES:**
1/2 piña madura y dulce, pelada,
  sin el corazón y cortada
  en dados
1 mango o papaya, pelado,
  sin hueso o semillas y cortado
  en dados
1/2-1 chile verde fresco,
  de tipo jalapeño o serrano,
  sin semillas y picado
1/2-1 chile rojo fresco, picado
1/2 cebolla roja picada
1 cucharada de azúcar
el zumo de 1 lima
3 cucharadas de menta fresca
  picada
sal

**SALSA DE CHILE CHAMUSCADO:**
2-3 chiles verdes frescos, tipo
  jalapeño o serrano
1 pimiento verde
2 dientes de ajo finamente
  picados
el zumo de 1/2 lima
1 cucharadita de sal
2-3 cucharadas de aceite de oliva
  virgen extra o aceite vegetal
un buen pellizco de orégano seco
un buen pellizco de comino
  molido

**SALSA VERDE:**
450 g de tomatillos de lata,
  escurridos y picados,
  o tomates ácidos, picados
1-2 chiles verdes frescos,
  tipo jalapeño o serrano, sin
  semillas y finamente picados
1 pimiento verde o un chile verde
  suave de tamaño grande, tipo
  anaheim o poblano, sin
  semillas y picado
1 cebolla pequeña picada
1 ramito de hojas de cilantro
  fresco, finamente picado
1/2 cucharadita de comino molido
sal

1 Para hacer la salsa de fruta tropical, mezcle todos los ingredientes en un cuenco, y añádales sal. Tape la salsa y guárdela en la nevera.

2 Para hacer la salsa de chile chamuscado, ase los chiles y el pimiento en una sartén sin engrasar. Quíteles las semillas y la piel, y píquelos. Mézclelos con el ajo, el zumo de lima, la sal y el aceite. Para finalizar, añada el orégano y el comino molido.

3 Para preparar la salsa verde, mezcle todos los ingredientes en un cuenco y sale al gusto. Si prefiere una textura más fina, puede batir los ingredientes en una batidora. Sirva la salsa en un bol.

# Salsa de chiles chipotle macerados

### Para 4-6 personas

## INGREDIENTES

6 chiles chipotle secos
6 cucharadas de ketchup
350 g de tomates maduros
    cortados en dados
1 cebolla grande picada
5 dientes de ajo picados
2 cucharadas de vinagre de sidra
300 ml de agua

1 cucharada de aceite de oliva
    virgen extra
2 cucharadas de azúcar,
    preferiblemente de melaza
$\frac{1}{4}$ de cucharadita de pimienta de
    Jamaica molida
$\frac{1}{4}$ de cucharadita de clavo
    molido

una pizca de sal
$\frac{1}{4}$ de cucharadita de canela en
    polvo
$\frac{1}{4}$ de cucharadita de comino
    molido
3-4 cucharadas de zumo de lima
    o zumo de piña con limón
pimienta

1 Ponga los chipotles en un cazo y cúbralos con agua. Llévelo a ebullición, procurando evitar inhalar el vapor, porque podría irritarle los pulmones. Tape el cazo y déjelo a fuego lento unos 20 minutos. Retírelo del fuego y déjelo enfriar.

2 Retire los chiles del agua. Separe los rabillos y descarte las semillas. Puede rasparlos para retirar la pulpa de la piel o bien picarlos enteros.

3 Ponga en un cazo el ketchup, los tomates, la cebolla, el chile, el ajo, el vinagre, el agua, el aceite de oliva, el azúcar, la sal, la pimienta de Jamaica, el clavo, la canela y el comino. Llévelo a ebullición. Baje la temperatura y déjelo cocer durante unos 15 minutos hasta que la mezcla se haya espesado.

4 Salpimente al gusto e incorpore el zumo de fruta. Utilice la salsa según la necesite.

# Salsa de piña fresca

### Para 4 personas

### INGREDIENTES

$^1/_2$ piña madura

el zumo de 1 lima o limón

1 diente de ajo finamente picado

$^1/_2$-1 chile fresco rojo o verde, sin semillas y finamente picado

1 cebolleta cortada en rodajitas

$^1/_2$ pimiento rojo, sin semillas y picado

3 cucharadas de menta fresca picada

3 cucharadas de cilantro fresco picado

una pizca de sal

una pizca de azúcar

1 Con un cuchillo afilado rebane la parte superior e inferior de la piña. Colóquela en posición vertical sobre una tabla de picar y retire la corteza cortándola hacia abajo. Corte la pulpa en rodajas, después córtelas por la mitad, retirando el corazón, si lo desea, y seguidamente en dados. Reserve el jugo que pueda soltarse durante la manipulación.

2 Coloque la piña troceada en un cuenco y añádale el zumo de lima o de limón, el ajo, la cebolleta, el chile picado y el pimiento rojo.

3 Añádale la menta fresca y el cilantro. Agregue la sal y el azúcar, y mezcle bien todos los ingredientes. Guárdela en la nevera hasta que la necesite.

## SUGERENCIA

*La piña fresca estará madura cuando su aroma sea dulzón y la pulpa bastante firme al tacto. Las hojas de aspecto fresco son señal de que está en buenas condiciones.*

## VARIACIÓN

*Sustituya la piña por 3 naranjas jugosas, peladas y divididas en gajos.*

# Tacos blandos de cangrejo y aguacate

### Para 4 personas

## INGREDIENTES

8 tortillas de maíz
1 aguacate
zumo de lima o limón
para el aguacate
4-6 cucharadas de crema agria
250-280 g de carne de cangrejo
cocida

$^1/_2$ lima
$^1/_2$ chile fresco verde,
tipo jalapeño o serrano,
sin semillas y picado
o cortado en rodajitas finas
1 tomate maduro, sin semillas
y cortado en dados

$^1/_2$ cebolla pequeña finamente
picada
2 cucharadas de cilantro fresco
picado
salsa de su elección, para servir
(opcional)

1 Caliente las tortillas
en una sartén
antiadherente sin engrasar,
rociándolas con unas gotas
de agua mientras se calientan;
envuélvalas en un paño de
cocina limpio mientras
prepara el resto de los
ingredientes, para que se
mantengan calientes.

2 Corte el aguacate por
la mitad alrededor del
hueso. Separe las dos
mitades y retire el hueso
con un cuchillo. Pélelo con
cuidado, corte la pulpa en
rodajas y páselas por el zumo

de lima o limón para evitar
que se ennegrezcan.

3 Extienda un poco de
crema agria por una
tortilla y remátela con la
carne de cangrejo, un
chorrito de zumo de lima
y un poco de chile, tomate,
cebolla, cilantro y aguacate,
añadiendo un poco de salsa
si lo desea. Haga lo mismo
con el resto de las tortillas y
sírvalas inmediatamente.

## VARIACIÓN

*Para transformarlas en
tostadas, fría las tortillas
hasta que estén crujientes en
una sartén antiadherente
con un poco de aceite. Ponga
los ingredientes sobre la
tortilla según se indica en el
paso 3. Prepare otra tortilla
con relleno y colóquela
encima de la primera.
Repita la operación para
formar una pequeña torre.
Remátela con lechuga
cortada en tiras.*

# *Tacos de pescado al estilo de Ensenada*

### Para 4 personas

## INGREDIENTES

unos 450 g de pescado blanco de
    carne firme, como cubera roja
    o bacalao fresco
$^1/_4$ de cucharadita de orégano
    seco
$^1/_4$ de cucharadita de comino
    molido
1 cucharadita de chile suave en
    polvo

2 dientes de ajo finamente
    picados
3 cucharadas de harina de trigo
aceite vegetal para freír
$^1/_4$ de col lombarda, cortada en
    rodajitas o tiras finas
el zumo de 2 limas
8 tortillas de maíz

1 cucharada de cilantro fresco
    picado
$^1/_2$ cebolla picada (opcional)
sal y pimienta
salsa de su elección

1 Ponga el pescado en un
plato y espolvoréelo con
la mitad del orégano, el
comino, el chile en polvo,
el ajo, la sal y la pimienta, y
a continuación con harina.

2 Caliente el aceite
en una sartén hasta
que humee, y fría el pescado
en varias tandas hasta que
esté dorado por fuera
y tierno por dentro.
Retírelo de la sartén y
déjelo escurrir sobre
papel absorbente.

3 Mezcle la col con el
resto del orégano, el
comino, el chile y el ajo.
Añada el zumo de lima,
la sal y la salsa picante al
gusto. Reserve.

4 Caliente las tortillas en
una sartén antiadherente
sin engrasar, rociándolas con
unas gotas de agua mientras
se calientan. Envuélvalas en
un paño de cocina limpio
mientras calienta las otras.
También puede calentarlas
a la vez, una encima de otra,

alternando las de abajo
con las de arriba, para
que se calienten de
manera uniforme.

5 Coloque parte del
pescado frito caliente
sobre cada tortilla, junto
con una cucharada
colmada de ensalada
de col picante. Espolvoree
por encima con el cilantro
fresco picado y la cebolla,
si lo desea. Añada salsa al
gusto y sirva los tacos
inmediatamente.

# Tostadas con pescado y frijoles refritos con salsa verde

### Para 4 personas

## INGREDIENTES

450 g de pescado blanco, como
    cubera roja o bacalao fresco
125 ml de caldo de pescado, o
    agua con un cubito de caldo
    de pescado
$1/4$ de cucharadita de comino
    molido
$1/4$ de cucharadita de chile suave
    en polvo

una pizca de orégano seco
4 dientes de ajo picados
el zumo de $1/2$ limón o lima
8 tortillas blandas de maíz
aceite vegetal para freír
1 lata de 400 g de alubias refritas,
    calentadas con 2 cucharadas
    de agua para diluirlas
salsa de su elección

2-3 hojas de lechuga cos,
    cortadas en tiras finas
3 cucharadas de cilantro picado
2 cucharadas de cebolla picada
sal y pimienta

PARA ADORNAR:
crema agria
hierbas frescas picadas

1 Ponga el pescado en una cazuela con el caldo, el comino, el chile, el orégano, el ajo, la sal y la pimienta. Llévelo lentamente a ebullición y retírelo en seguida del fuego. Deje enfriar el pescado en el líquido de cocción.

2 Cuando el pescado esté frío, retírelo del líquido con una espumadera y reserve el caldo. Desmenuce el pescado, póngalo en un cuenco, rocíelo con el zumo de limón o de lima y reserve.

3 Para hacer las tostadas fría las tortillas en una sartén antiadherente con un poco de aceite, hasta que estén crujientes. Unte equitativamente las tortillas con las alubias refritas.

4 Con cuidado, vuelva a calentar el pescado con parte del líquido reservado, y a continuación colóquelo sobre las alubias. Remate cada tostada con un poco de lechuga, salsa, cilantro fresco y cebolla. Adórnelas con una cucharada de crema agria y hierbas frescas picadas. Sírvalas inmediatamente.

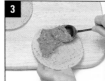

# Burritos de pescado

### Para 4-6 personas

## INGREDIENTES

unos 450 g de pescado blanco de
carne consistente, como
cubera roja o bacalao fresco
$^1/_4$ de cucharadita de comino
molido
una pizca de orégano seco
el zumo de $^1/_2$ limón o lima

4 dientes de ajo finamente
picados
125 ml de caldo de pescado o
agua con un cubito de caldo
de pescado
2-3 hojas de lechuga cos
cortadas en tiras finas

8 tortillas de harina de trigo
2 tomates maduros cortados en
dados
1 ración de salsa cruda (véase
pág. 96)
sal y pimienta
rodajas de limón, para servir

1 Salpimente el pescado y
póngalo en una cazuela
con el comino, el orégano y
el ajo, cubriéndolo con caldo.

2 Lleve la cazuela a
ebullición y déjela
1 minuto. Retírela del
fuego y deje enfriar el
pescado en el líquido
de cocción unos
30 minutos.

3 Retire el pescado
del caldo con una
espumadera y desmenúcelo.
Rocíelo con el zumo de
limón o lima y reserve.

4 Caliente las tortillas en
una sartén antiadherente
sin engrasar, rociándolas con
unas gotas de agua mientras
las calienta. Envuélvalas en
un paño de cocina limpio
mientras calienta el resto.

5 Disponga la lechuga
cortada en el centro
de una tortilla. Coloque
encima unos trozos de
pescado y espolvoréelos con
el tomate. Añada salsa cruda.
Repita la operación con el
resto de las tortillas y sírvalas
inmediatamente con rodajas
de limón.

## VARIACIÓN

*Cueza patatas harinosas
peladas en el caldo de
pescado. Córtelas en dados
y sírvalas envueltas en las
tortillas calientes junto con
la lechuga, el pescado, el
tomate y la salsa. O añada
al relleno aguacate pasado
por zumo de lima.*

# Tacos de pollo de Puebla

### Para 4 personas

## INGREDIENTES

8 tortillas de maíz
2 cucharaditas de aceite vegetal
225-350 g de sobras de pollo
  cocido en dados o tiras finas
1 lata de 225 g de alubias refritas,
  calentadas con 2 cucharadas
  de agua para diluirlas
¼ de cucharadita de orégano seco

¼ de cucharadita de comino
  molido
1 aguacate, deshuesado, cortado
  en rodajas y pasado por zumo
  de lima
salsa verde (véase pág. 102) o
  alguna otra de su elección

1 chile chipotle de lata en adobo,
  o salsa chipotle envasada
175 ml de crema agria
½ cebolla picada
un puñado de hojas de lechuga
5 rábanos cortados en rodajas
sal y pimienta

1 Caliente las tortillas en una sartén antiadherente sin engrasar, alternando las de arriba con las de abajo para calentarlas uniformemente. Envuélvalas en papel de aluminio o en un paño de cocina limpio para mantenerlas calientes.

2 Caliente el aceite en una sartén, añada el pollo y saltéelo bien. Salpimente al gusto.

3 Mezcle las alubias refritas con el comino y el orégano.

4 Extienda las alubias refritas sobre una tortilla. Añada encima una cucharada de pollo, una rodaja o dos de aguacate, un chorrito de salsa, chipotle al gusto y un poquito de crema agria, y esparza por encima cebolla, lechuga y rábanos. Salpiméntela al gusto y enróllela. Repita la operación con el resto de las tortillas y sírvalas inmediatamente.

### VARIACIÓN

*Puede sustituir el pollo por 450 g de carne de buey picada, aderezada con cebolla, chile suave en polvo y comino molido al gusto.*

# Tacos de chile verde con alubias pintas

### Para 4 personas

## INGREDIENTES

8 tortillas de maíz
aceite vegetal para engrasar
1 lata de 400 g de alubias pintas
$^1/_3$ de ración de chile verde
   (véase pág. 204)
3 tomates maduros cortados
   en dados
$^1/_2$ cebolla picada

2 cucharadas de cilantro fresco
   finamente picado

PARA DECORAR:
crema agria
chile suave en polvo

PARA SERVIR:
salsa de su elección
lechuga cortada en tiras finas

1 Caliente las tortillas en una sartén antiadherente ligeramente engrasada. Envuélvalas en un paño de cocina mientras calienta el resto.

2 Escurra las alubias y reserve parte del líquido. Caliéntelas en un cazo con el líquido reservado.

3 Caliente el chile verde en un cazo hasta que empiece a hervir.

4 Ponga unas cucharadas de alubias escurridas sobre una tortilla caliente. Añada encima el chile verde, y espolvoree por encima el tomate, la cebolla y el cilantro fresco. Enrolle la tortilla y repita la operación con el resto. Adorne los tacos con una cucharada de crema agria y un poco de chile en polvo, y sírvalos inmediatamente con salsa y tiras de lechuga.

## VARIACIÓN

*Para una versión con tostadas, caliente las tostadas bajo el grill, cúbralas con alubias refritas calentadas con un poco de agua y remátelas con el chile verde, la lechuga, un poco de queso pecorino rallado, salsa, cebolla, cilantro fresco y crema agria. Sírvalas inmediatamente.*

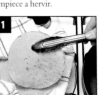

# Tostadas de pollo con salsa verde y chipotle

### Para 4-6 personas

## INGREDIENTES

6 tortillas de maíz
aceite vegetal para freír
450 g de pechuga o muslo de pollo, deshuesado y sin piel, cortado en tiras o trocitos pequeños
225 ml de caldo de pollo
2 dientes de ajo finamente picados
400 g de alubias refritas (véase pág. 144) o de lata

un buen pellizco de comino molido
225 g de queso rallado
1 cucharada de cilantro fresco picado
2 tomates maduros cortados en dados
un puñado de hojas de lechuga tipo cos o iceberg, cortadas en tiras finas
4-6 rábanos cortados en dados

3 cebolletas cortadas en rodajitas
1 aguacate maduro, deshuesado, cortado en dados o rodajas y pasado por zumo de lima
crema agria al gusto
1-2 chiles chipotle de lata en adobo, o secos y rehidratados (véase pág. 100), cortados en tiras finas

1 Para hacer las tostadas fría las tortillas en una sartén antiadherente con un poco de aceite, hasta que estén crujientes.

2 Ponga el pollo en un cazo con el caldo y el ajo. Llévelo a ebullición, baje la temperatura y cuézalo 1-2 minutos, hasta que la carne empiece a verse opaca.

3 Retire el cazo del fuego y deje que el pollo acabe de cocerse en el líquido caliente.

4 Caliente las alubias con suficiente agua para hacer un puré cremoso. Añada el comino y mantenga el recipiente caliente.

5 Vuelva a calentar las tostadas bajo el grill

precalentado, si es necesario. Extienda las alubias sobre las tostadas y espolvoree el queso rallado por encima. Escurra el pollo y repártalo entre las tostadas. Remátelas con el cilantro, el tomate, la lechuga, el rábano, la cebolleta, el aguacate, la crema agria y unas tiras de chipotle. Sírvalas inmediatamente

# Tostadas vegetarianas

### Para 4 personas

## INGREDIENTES

4 tortillas de maíz
aceite vegetal para freír
2-3 cucharadas de aceite de oliva
   virgen extra o aceite vegetal
2 patatas cortadas en dados
1 zanahoria cortada en dados
3 dientes de ajo finamente
   picados
1 pimiento rojo, sin semillas
   y cortado en dados

1 cucharadita de chile suave en
   polvo
1 cucharadita de pimentón
$^1/_2$ cucharadita de comino
   molido
3-4 tomates maduros cortados
   en dados
115 g de judías verdes, escaldadas
   y troceadas
varios pellizcos de orégano seco

400 g de frijoles negros cocidos,
   escurridos
225 g de queso feta
   desmenuzado
3-4 hojas de lechuga cos
   cortadas en tiras finas
3-4 cebolletas cortadas
   en rodajitas

1 Para hacer las tostadas, fría las tortillas en una sartén antiadherente con un poco de aceite, hasta que estén crujientes.

2 Caliente el aceite en una sartén y rehogue las patatas y la zanahoria hasta que se ablanden. Añada el ajo, el pimiento rojo, el chile en polvo, el pimentón y el comino. Siga rehogándolo todo unos 2-3 minutos, hasta que el pimiento se haya ablandado.

3 Incorpore el tomate, las judías verdes y el orégano. Rehóguelo todo unos 8-10 minutos mas, hasta que las verduras hayan quedado tiernas y la mezcla tenga la consistencia de una salsa. No debería quedar demasiado seca. Si fuera así, añada un poco de agua.

4 Caliente los frijoles en un cazo con poca agua y manténgalos calientes. Vuelva a calentar las tostadas bajo el grill.

5 Reparta los frijoles sobre las tostadas calientes, espolvoréelas con el queso y ponga por encima la mezcla de verduras. Sírvalas inmediatamente, decoradas con tiras de lechuga y rodajas de cebolleta.

# *Enchiladas de brécol con salsa de chile suave*

### Para 4 personas

## INGREDIENTES

450 g de ramitos de brécol

225 g de queso ricotta

1 diente de ajo picado

$^{1}/_{2}$ cucharadita de comino molido

175-200 g de queso cheddar rallado

6-8 cucharadas de queso parmesano recién rallado

1 huevo ligeramente batido

4-6 tortillas de harina de trigo

aceite vegetal para engrasar

1 ración de salsa de chile rojo suave (véase pág. 86)

225 ml de caldo de verduras o de pollo

$^{1}/_{2}$ cebolla finamente picada

3-4 cucharadas de cilantro fresco picado

3 tomates maduros cortados en dados

sal y pimienta

salsa picante, para servir

1 Lleve una olla con agua salada a ebullición, y añada el brécol. Cuando vuelva a hervir, escáldelo 1 minuto. Escúrralo, refrésquelo bajo un chorro de agua fría y vuélvalo a escurrir. Recorte los tallos, pélelos y píquelos. Corte el resto en dados.

2 Mezcle en un cuenco el brécol con el queso ricotta, el ajo, el comino, y la mitad del cheddar y del parmesano. Añada el huevo y salpimente.

3 Caliente las tortillas en una sartén antiadherente un poco engrasada y envuélvalas en papel de aluminio. Rellénelas con la mezcla de brécol y enróllelas.

4 Coloque los rollitos en una fuente para el horno. Vierta la salsa de chile rojo suave por encima, y después el caldo de verduras o de pollo.

5 Espolvoree sobre los rollitos el resto del queso cheddar y del parmesano y hornéelos en el horno precalentado a 190 °C unos 30 minutos. Espolvoree la cebolla, el cilantro fresco y el tomate por encima. Acompáñelos con una salsa picante y sírvalos.

# Enchiladas de queso con sabores de mole

### Para 4–6 personas

## INGREDIENTES

8 tortillas de maíz
aceite vegetal para engrasar
450 ml de salsa mole
unos 225 g de queso rallado, tipo
    cheddar, mozzarella, asiago
    o queso mexicano oaxaca, de
    un solo tipo o una mezcla
    de varios

225 ml de caldo de verduras
    o de pollo
5 cebolletas cortadas en rodajitas
2–3 cucharadas de cilantro fresco
    picado
un puñado de hojas de lechuga
    cos, cortadas en tiras finas
1 aguacate, deshuesado, cortado

en dados y pasado por zumo
    de lima
4 cucharadas de crema agria
salsa de su elección

1 Caliente las tortillas en una sartén antiadherente ligeramente engrasada. Envuélvalas en papel de aluminio mientras calienta el resto.

2 Moje las tortillas en la salsa mole y apílelas en un plato. Rellene la parte interior de la tortilla superior con unas cucharadas de queso. Enróllela y colóquela en una fuente para el horno. Repita el proceso con el resto

de tortillas, reservando una parte del queso para espolvorearlo por encima de los rollitos.

3 Vierta el resto de salsa mole sobre los rollitos y a continuación el caldo. Espolvoréeelos con el queso reservado y cúbralos con papel de aluminio.

4 Hornee las enchiladas en el horno precalentado a 190 °C

hasta que estén muy calientes y el relleno de queso se funda.

5 Disponga la cebolleta, el cilantro fresco, la lechuga, el aguacate y la crema agria por encima, y añada salsa al gusto. Sírvalas inmediatamente.

# Enchiladas de chile rojo de Santa Fe

### Para 4 personas

## INGREDIENTES

2-3 cucharadas de harina de maíz especial para masa, o 1 nacho triturado o machacado

4 cucharadas de chile suave en polvo, por ejemplo Nuevo México

2 cucharadas de pimentón

2 dientes de ajo finamente picado

$1/4$ de cucharadita de comino molido

una pizca de canela molida

una pizca de pimienta de Jamaica molida

una pizca de orégano seco

1 litro de caldo caliente de pollo, carne o verduras

1 cucharada de zumo de lima

8 tortillas de harina de trigo

unos 450 g de carne de pollo o cerdo cocida, en trozos

85 g de queso rallado

1 cucharada de aceite de oliva virgen extra

4-6 huevos

PARA SERVIR:

$1/2$ cebolla finamente picada

1 cucharada de cilantro fresco picado

salsa de su elección

1 Mezcle la harina de maíz con el chile en polvo, el pimentón, el ajo, el comino, la canela, la pimienta de Jamaica, el orégano y suficiente agua para hacer una pasta fina. Bata la mezcla en una batidora.

2 Añada la pasta al cazo donde se está calentando el caldo. Baje la temperatura

y cuézala hasta que se espese ligeramente. A continuación retire la salsa del fuego y agregue el zumo de lima.

3 Moje las tortillas en la salsa caliente. Cubra una tortilla con carne cocida. Coloque encima otra tortilla mojada en salsa y más relleno de carne. Haga otras tres torres como ésta y páselas a una fuente refractaria.

4 Vierta el resto de la salsa sobre las tortillas y espolvoréelas con el queso rallado. Hornéelas en el horno precalentado a 180 ºC unos 15-20 minutos, o hasta que el queso se haya fundido.

5 Mientras tanto, fría los huevos en una sartén antiadherente, con el aceite de oliva, hasta que las claras queden cuajadas, pero sin dejar que las yemas se endurezcan.

6 Coloque un huevo frito sobre cada enchilada. Sírvalas acompañadas con la cebolla mezclada con cilantro fresco y la salsa.

# Flautas de pollo con guacamole

### Para 4 personas

## INGREDIENTES

8 tortillas de maíz
350 g de pollo cocido, cortado en dados
1 cucharadita de chile suave en polvo
1 cebolla picada

1-2 cucharadas de nata fresca espesa
aceite vegetal para freír
2 cucharadas de cilantro fresco picado fino

1 ración de guacamole (véase pág. 28)
salsa de su elección
sal

1 Caliente en una sartén antiadherente sin engrasar las tortillas apiladas, alternando las de abajo con las de arriba para que se calienten de manera uniforme. Envuélvalas en papel de aluminio o en un paño de cocina limpio para mantenerlas calientes.

2 Ponga en un bol el pollo, el chile en polvo, la mitad de la cebolla y la del cilantro, y añada sal al gusto. Incorpore nata suficiente para ligar la mezcla.

3 Coloque 2 tortillas solapadas sobre una superficie de trabajo y rellénelas a lo largo de la parte central. Enróllelas bien apretadas y sujételas con un palillo o dos. Repita la operación con el resto de las tortillas y del relleno.

4 Caliente el aceite en una sartén honda y fría las flautas hasta que estén doradas y crujientes. Retírelas con cuidado del aceite y déjelas escurrir sobre papel de cocina.

5 Sírvalas inmediatamente, adornadas con la salsa, el guacamole, el resto del cilantro fresco y de la cebolla, y unos dados de tomate, si lo desea.

## VARIACIÓN

*Sustituya el pollo por marisco, como gambas cocidas o carne de cangrejo, y sirva las flautas con gajos de limón.*

# Quesadillas de cerdo con alubias pintas

### Para 4 personas

## INGREDIENTES

1 ración de carnitas (véase pág. 208) o unos 100 g de tiras de carne de cerdo cocida por persona

1 tomate maduro, sin semillas y cortado en dados

1/2 cebolla picada

3 cucharadas de cilantro fresco picado

4 tortillas grandes de harina de trigo

350 g de queso rallado o cortado en lonchas finas, tipo mozzarella o gouda

unos 375 g de alubias pintas cocidas y escurridas

salsa picante de su elección, fresca o envasada

chiles jalapeños en escabeche, cortados en aros finos, al gusto

aceite vegetal para freir

PARA SERVIR:

chiles encurtidos

ensalada mixta

1 Caliente la ración de carnitas en una sartén y déjela a fuego suave para que se mantenga caliente.

2 Mezcle en un bol el tomate con la cebolla y el cilantro, y reserve.

3 Caliente una tortilla en una sartén antiadherente sin engrasar. Espolvoréela con queso y colóquele encima un poco de carne,

alubias y la mezcla de tomate reservada. Añada la salsa y los jalapeños en escabeche, al gusto. Doble la tortilla por los lados para envolver el relleno.

4 En una sartén, cocine la quesadilla por ambos lados, añadiendo unas gotas de aceite para mantenerla ligera y suculenta. Retírela del fuego cuando esté dorada y el queso del interior se haya fundido. Resérvela y

manténgala caliente. Repita la misma operación con el resto de las tortillas y del relleno.

5 Coloque en un plato las quesadillas, y sírvalas inmediatamente. Puede acompañarlas con chiles encurtidos y ensalada.

# Estofado de nachos y chorizo

### Para 4 personas

## INGREDIENTES

12 tortillas de maíz pasadas,
    cortadas en tiras
1 cucharada de aceite vegetal
2-3 chorizos, cortados
    en rodajitas o en dados

2 dientes de ajo finamente
    picados
225 g de tomate triturado de lata
3 cucharadas de cilantro fresco
    picado

450 ml de caldo de pollo
    o de verduras
225 g de queso rallado
1 cebolla finamente picada
sal y pimienta

1 Ponga las tiras de tortilla en una bandeja de asar, rocíelas con un poco de aceite y hornéelas en el horno precalentado a 190 °C unos 30 minutos, hasta que estén doradas y crujientes.

2 Dore el chorizo y el ajo en una sartén hasta que esté cocido; retire el exceso de grasa. Añada el tomate y el cilantro y salpimente al gusto. Reserve.

3 En una fuente para el horno cuadrada de unos 30 cm de lado, disponga varias capas de nachos y de mezcla de chorizo, terminando con una de nachos.

4 Vierta el caldo por encima del contenido de la fuente y espolvoree el queso por encima. Hornéelo en el horno precalentado a 190 °C durante 40 minutos, hasta que los nachos estén bastante blandos.

5 Sirva inmediatamente los nachos, espolvoreados con la cebolla picada.

## VARIACIÓN

*Sirva este plato con huevos fritos. La yema combina bien con el sabor del chorizo y los nachos. Acompáñelo con un bol de salsa picante para quienes prefieran un sabor más intenso.*

# Chilaquiles de pollo y chile verde

### Para 4-6 personas

## INGREDIENTES

12 tortillas de maíz pasadas,
    cortadas en tiras
1 cucharada de aceite vegetal
1 pollo pequeño cocido,
    deshuesado y cortado
    en trocitos
salsa verde (véase pág. 102)
3 cucharadas de cilantro fresco
    picado
1 cucharadita de orégano

o tomillo fresco, finamente
    picado
4 dientes de ajo finamente
    picados
$1/4$ de cucharadita de comino
    molido
350 g de queso rallado, tipo
    cheddar, manchego
    o mozzarella
450 ml de caldo de pollo

unos 115 g de queso parmesano
    recién rallado

PARA SERVIR:
350 ml de nata fresca espesa
3-5 cebolletas cortadas
    en rodajitas
chiles encurtidos

1 Ponga las tiras de
tortilla en una bandeja
de asar, rocíelas con aceite
y hornéelas en el horno
precalentado a 190 °C unos
30 minutos, hasta que estén
doradas y crujientes.

2 Coloque el pollo
en una fuente de
barro de unos 23x33 cm y
espolvoréelo con el cilantro,
el orégano, el ajo, el comino
parte del queso blando y la
mitad de la salsa. Siga

disponiendo más capas y
remate la última con las
tiras de tortilla.

3 Vierta el caldo por
encima y espolvoree
el resto de los quesos por
encima.

4 Hornéela en el horno
precalentado a 190 °C
unos 30 minutos, hasta
que esté bien caliente
y el queso se haya dorado
en algunos puntos.

5 Sirva el plato adornado
con la nata fresca, las
rodajitas de cebolleta y los
chiles encurtidos, al gusto.

## VARIACIÓN

*Para un relleno
mexicano vegetariano,
sustituya el pollo por tofu
salteado con granos de
maíz dulce.*

# Tamales

**Para 4-6 personas**

## INGREDIENTES

8-10 farfollas de mazorca de maíz u hojas de banano, cortadas en cuadrados de 30 cm
6 cucharadas de manteca de cerdo o vegetal
1/2 cucharadita de sal
una pizca de azúcar
una pizca de comino molido

225 g de harina de maíz especial para amasar
1/2 cucharadita de levadura en polvo
unos 225 ml de caldo de verduras, pollo o carne

PARA SERVIR:
lechuga cortada en tiras finas
salsa de su elección

RELLENO:
115 g de maíz cocido, con un poco de queso rallado y chile verde picado, o cerdo cocido en una salsa de chile suave

1 Si utiliza farfollas de maíz, déjelas en remojo en agua caliente toda la noche o como mínimo 3 horas. Si utiliza hojas de banano, caliéntelas colocándolas sobre la llama del fogón unos segundos, para hacerlas flexibles.

2 Para preparar la pasta de tamales, bata la manteca hasta que quede esponjosa, y a continuación añada, batiendo, la sal, el azúcar, el comino, la harina y la levadura en polvo, hasta que la pasta tenga la consistencia del pan rallado fino.

3 Gradualmente vaya añadiendo el caldo, batiendo la mezcla hasta que quede esponjosa y parezca nata batida.

4 Extienda sobre una farfolla remojada o sobre un trozo de hoja de banano caliente 1-2 cucharadas de pasta.

5 Con una cuchara incorpore el relleno encima. Doble los lados de las farfollas o las hojas para encerrar el relleno dentro. Envuelva cada paquete en un trozo de papel de aluminio y colóquelos en una vaporera.

6 Vierta agua caliente en el fondo de la vaporera, tápela y déjela hervir. Cueza los tamales unos 40-60 minutos, añadiendo más agua si es necesario. Retire los tamales y sírvalos.

# Burritos de cordero y frijoles negros

### Para 4 personas

## INGREDIENTES

650 g de carne magra de cordero
3 dientes de ajo picados
el zumo de $^1/_2$ lima
$^1/_2$ cucharadita de chile suave en polvo
$^1/_2$ cucharadita de comino molido

un buen pellizco de hojas de orégano seco, machacadas
1-2 cucharadas de aceite de oliva virgen extra
400 g de frijoles negros cocidos, sazonados con un poco de

comino, sal y pimienta
4 tortillas de harina de trigo grandes
2-3 cucharadas de cilantro fresco picado
salsa, preferiblemente chipotle

1 Corte la carne en tiras finas y mézclelas con el ajo, el zumo de lima, el chile en polvo, el comino, el orégano y el aceite de oliva. Salpiméntelo todo y déjelo macerar en la nevera unas 4 horas.

2 Caliente los frijoles en una cazuela con un poco de agua.

3 Caliente las tortillas, rociadas con unas gotas de agua, en una sartén antiadherente sin

engrasar. Envuélvalas en un paño de cocina limpio mientras calienta el resto. También puede calentarlas a la vez, una encima de otra, alternando las de abajo con las de arriba, para que se calienten de manera uniforme.

4 Saltee a fuego vivo la carne de cordero cortada en tiras en una sartén antiadherente de base gruesa, hasta que esté dorada. Retírela del fuego.

5 Incorpore algunos frijoles y un poco de carne sobre una tortilla, espolvoree cilantro por encima, añada un poco de salsa y enróllela. Haga lo mismo con el resto de las tortillas y sírvalas inmediatamente.

## VARIACIÓN

*Añada una o dos cucharadas de arroz cocido a cada burrito.*

# Frijoles mexicanos

### Para 4-6 personas

## INGREDIENTES

500 g de alubias pintas o *borlotti*
    secas
una ramita de menta fresca
una ramita de tomillo
    fresco

una ramita de perejil fresco
    de hoja plana
1 cebolla cortada en trozos
sal

PARA SERVIR:
tortillas de harina de trigo
    o de maíz calientes
tiras finas de cebolleta

1 Limpie las alubias de cualquier piedrecilla o impureza que pueda estar mezclada con ellas. Cúbralas con agua fría y déjelas en remojo toda la noche. Si quiere ahorrar tiempo, hiérvalas durante 5 minutos y déjelas reposar, tapadas, unas 2 horas.

2 Escurra las alubias, incorpórelas en una cazuela y cúbralas con agua, añadiendo la menta, el tomillo y el perejil. Lleve el agua a ebullición, baje la temperatura y déjelas cocer a fuego muy lento unas 2 horas, hasta que estén

blandas. La mejor manera de comprobar si están cocidas es probando una o dos de vez en cuando, pasadas 1³/₄ horas de cocción.

3 Añada la cebolla y siga cociendo el contenido de la cazuela hasta que las alubias y la cebolla estén tiernas.

4 Para servirlas como guarnición, sazónelas con sal y sírvalas en un cuenco acompañadas con tortillas de harina de trigo o de maíz calientes, adornadas con tiras de cebolleta.

## SUGERENCIA

*Si usa estas alubias para prepararlas refritas (véase pág. 144), no las escurra, pues el líquido de cocción es necesario para la receta.*

## SUGERENCIA

*El tiempo de cocción dependerá de si las alubias son más o menos viejas: las más nuevas se cuecen antes. También influye el contenido mineral del agua.*

# Frijoles refritos

### Para 4-6 personas

## INGREDIENTES

| | |
|---|---|
| 1 ración de alubias mexicanas, con el líquido de la cocción (véase pág. 142) | 1-2 cebollas picadas |
| | $^1/_2$ cucharadita de comino molido |
| | sal |
| 125 ml de aceite vegetal o 125 de manteca o grasa de cocinar | 250 g de queso cheddar rallado (opcional) |

1 Ponga dos tercios de las alubias cocidas, con el líquido de la cocción, en una batidora y prepare un puré. Añada el resto de las alubias enteras. Reserve.

2 Caliente el aceite o la manteca en una sartén de base gruesa. Añada la cebolla y rehóguela hasta que esté muy blanda. Espolvoréela con el comino y sálela al gusto.

3 Añada un cucharón de alubias y rehóguelas, removiendo, hasta que se reduzcan a una mezcla espesa. Las alubias se oscurecerán ligeramente durante la cocción.

4 Siga añadiendo alubias, un cucharón cada vez, removiéndolas, y espere a que se reduzca el líquido antes de añadir el siguiente. El resultado final será un puré espeso y de textura gruesa.

5 Si desea añadir queso, espolvoréelo sobre las alubias y espere hasta que se funda. También puede colocar el plato bajo el grill para fundirlo y dorarlo. Sirva los frijoles refritos inmediatamente.

## VARIACIÓN

*Añada trocitos de chorizo frito a las alubias y una lata pequeña de sardinas trituradas y haga una pasta. Sírvala como relleno de crujientes panecillos para obtener el clásico mollete, o como salsa. Queda muy bien extendida sobre unas tostadas crujientes para un tentempié a media tarde.*

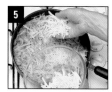

# *Frijoles refritos mexicanos "con todo"*

### Para 4 personas

## INGREDIENTES

1-2 cucharadas de aceite vegetal

1-1¹/₂ cebolla grande, picada

125 g de chicharrones o beicon

3-4 dientes de ajo picados

1 cucharadita de comino molido

¹/₂ cucharadita de chile suave en polvo

1 lata de 400 g de tomates,

escurridos y cortados en dados, reservando 150-175 ml de jugo

400 g de frijoles refritos de lata, desmenuzados

100 ml de cerveza

1 lata de 400 g de alubias pintas

sal y pimienta

PARA SERVIR:

tortillas de harina de trigo calientes

nata agria

chiles encurtidos cortados en rodajas

1 Caliente el aceite en una sartén. Fría la cebolla y el beicon troceado unos 5 minutos, hasta que empiecen a dorarse. Añada el ajo, el comino y el chile en polvo y siga friéndolo otro minuto. Incorpore el tomate y cuézalo a fuego medio hasta que el líquido se haya evaporado.

2 Agregue los frijoles refritos y tritúrelo todo ligeramente, añadiendo cerveza para diluir los frijoles y dejarlos más suaves. Baje el fuego y siga removiendo la mezcla hasta que quede suave y cremosa.

3 Añada las alubias pintas y remueva para mezclar bien el contenido de la sartén. Si la mezcla está demasiado espesa, añádale un poco del jugo de tomate reservado. Rectifique de especias al gusto. Salpimente y acompañe el plato con las tortillas calientes, la crema agria y las rodajas de chile encurtido.

## VARIACIÓN

*Remate el plato con queso rallado y fúndalo bajo el grill precalentado. Sírvalo inmediatamente. El plato constituye un suculento relleno para unas tortillas de harina de trigo calientes.*

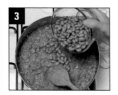

# Chile picante y aromático de frijoles negros

### Para 4 personas

## INGREDIENTES

400 g de frijoles negros
2 cucharadas de aceite de oliva
1 cebolla picada
5 dientes de ajo picados gruesos
2 lonchas de beicon (opcional)

$^1$/2-1 cucharadita de comino molido
$^1$/2-1 cucharadita de chile suave en polvo
1 pimiento rojo cortado en dados

1 zanahoria cortada en dados
400 g de tomates frescos en dados, o de lata triturados
1 ramito de cilantro fresco picado
sal y pimienta

1 Deje los frijoles en remojo toda la noche y después escúrralos. Póngalos en una cazuela, cúbralos con agua y llévelos a ebullición. Déjelos hervir 10 minutos, baje el fuego y déjelos 1$^1$/2 hora, hasta que estén blandos. Escúrralos bien y reserve 225 ml del líquido de cocción.

2 Caliente el aceite en una sartén. Fría el ajo y la cebolla unos 2 minutos, removiendo con frecuencia. Añada el beicon troceado, si lo desea, y fría, removiendo

de vez en cuando, hasta que esté hecho y la cebolla se haya ablandado.

3 Agregue el comino y el chile en polvo y siga friéndolo todo un poco más. Incorpore el pimiento rojo, la zanahoria y el tomate. Déjelo cocer a fuego medio unos 5 minutos.

4 Añada la mitad del cilantro, los frijoles y el agua de cocción. Salpimente. Cuézalo a fuego suave durante 30-45 minutos o hasta

que espese y los sabores se hayan mezclado.

5 Agregue el resto de cilantro y rectifique de sal y pimienta. Sírvalo inmediatamente.

## SUGERENCIA

*Si quiere, puede utilizar frijoles de lata; escúrralos y utilice 225 ml de agua para el líquido que se añade en el paso 4.*

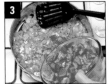

# *Arroz con lima*

### Para 4 personas

## INGREDIENTES

| | | |
|---|---|---|
| 2 cucharadas de aceite vegetal | 175 g de arroz de grano largo | 1 cucharada de cilantro fresco picado |
| 1 cebolla pequeña picada fina | 450 ml de caldo de verduras o de pollo | |
| 3 dientes de ajo picados finos | el zumo de 1 lima | |

1 Caliente el aceite en una sartén de base gruesa o en una cazuela refractaria. Rehogue el ajo y la cebolla a fuego suave unos 2 minutos, removiendo de vez en cuando. Añada el arroz y déjelo otro minuto, removiendo. Vierta el caldo, suba la temperatura y llévelo a ebullición. Baje el fuego.

2 Tape la sartén y deje cocer el arroz unos 10 minutos, hasta que esté a punto y haya absorbido el líquido.

3 Rocíe el arroz con el zumo de lima, y, con un tenedor, ahuéquelo para que se impregne de zumo. Espolvoree el cilantro por encima y sírvalo.

## SUGERENCIA

*Decore el arroz con plátano salteado: corte un plátano maduro, en rodajas diagonales, y fríalo en una sartén de base gruesa con un poquito de aceite, hasta que esté dorado en algunos puntos pero blando. Colóquelo en el cuenco sobre el arroz.*

## VARIACIÓN

*Incorpore con un tenedor unos 225 g de maíz dulce cocido en grano al arroz cuando falte poco para acabar la cocción. Deje que el maíz se caliente mientras el arroz termina de cocerse. Ponga por encima unos dados de pepino y un chorrito de zumo de lima, para que sea aún más fresco.*

# *Arroz al comino con pimientos dulces*

### Para 4 personas

## INGREDIENTES

2 cucharadas de mantequilla

1 cucharada de aceite vegetal

1 pimiento verde, sin semillas
   y cortado en rodajas

1 pimiento rojo, sin semillas
   y cortado en rodajas

3 cebolletas cortadas
   en rodajitas

3-4 dientes de ajo picados finos

175 g de arroz de grano largo

1½ cucharadita de semillas
   de comino

½ cucharadita de orégano
   o mejorana machacado

450 ml de caldo de verduras
   o de pollo

1 Caliente la mantequilla y el aceite en una sartén de base gruesa o en una cazuela refractaria. Saltee los pimientos hasta que se hayan ablandado.

2 Añada las cebolletas, el ajo, el arroz y las semillas de comino, y saltéelos unos 5 minutos, hasta que el arroz esté ligeramente dorado.

3 Agregue el orégano y el caldo a la sartén o a la cazuela, llévelo a ebullición, baje el fuego y déjelo cocer durante unos 5 minutos.

4 Cubra el arroz con un paño de cocina limpio y retírelo del fuego. Déjelo reposar durante 10 minutos. Si el arroz es bastante maduro, prolongue el tiempo de cocción inicial a 10 minutos.

5 Ahueque el arroz con un tenedor y sírvalo inmediatamente.

## VARIACIÓN

*Sírvalo mezclado con una ración o dos de frijoles negros, como guarnición para acompañar carne roja o de ave asada.*

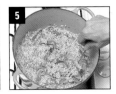

# *Arroz verde*

### Para 4 personas

## INGREDIENTES

1-2 cebollas peladas y partidas
por la mitad

6-8 dientes de ajo grandes,
sin pelar

1 chile suave grande,
o 1 pimiento verde

y 1 chile verde
pequeño

1 ramito de hojas de cilantro
fresco, picado

225 ml de caldo de verduras
o de pollo

175 g de arroz de grano largo

80 ml de aceite vegetal o de oliva

sal y pimienta

una ramita de cilantro fresco,
para decorar

1 Caliente una sartén de base gruesa sin engrasar y saltee en ella la cebolla, el ajo, el chile y el pimiento (si lo utiliza), hasta que estén ligeramente chamuscados por todas partes, incluyendo el lado cortado de las cebollas. Tape la sartén y déjelo enfriar.

2 Cuando se haya enfriado lo suficiente, quite las semillas y la piel del chile y del pimiento, y pique la pulpa.

3 Pele la cebolla y el ajo, y píquelos bien finos.

4 Ponga las hortalizas en una batidora, añada las hojas de cilantro y el caldo y bátalo todo hasta obtener un puré fino.

5 Caliente el aceite en una sartén de base gruesa y fría el arroz hasta que quede reluciente y ligeramente dorado en algunos puntos, removiendo para evitar que se queme. Incorpore el puré, tápelo y cuézalo a fuego medio durante unos 10-15 minutos, hasta que el arroz esté a punto.

6 Ahueque el arroz con un tenedor, tápelo y déjelo reposar 5 minutos. Rectifique de sal y pimienta. Adórnelo con la ramita de cilantro y sírvalo.

## SUGERENCIA

*Si queda un poco de arroz, utilícelo mezclado con carne picada de buey o de cerdo para hacer unas sabrosas albóndigas, o para rellenar pimientos.*

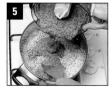

# *Arroz con frijoles negros*

### Para 4 personas

## INGREDIENTES

1 cebolla picada

5 dientes de ajo picados

225 ml de caldo de verduras
 o de pollo

2 cucharadas de aceite vegetal

175 g de arroz de grano largo

225 ml de líquido de cocción
 de frijoles (con algunos
 frijoles)

¹/₂ cucharadita de comino molido

sal y pimienta

PARA DECORAR:

3-5 cebolletas cortadas
 en rodajas finas

2 cucharadas de hojas de cilantro
 fresco picado

1 Ponga la cebolla en una picadora con el ajo y el caldo y bata hasta que tenga la consistencia de una salsa gruesa.

2 Caliente el aceite en una sartén de base gruesa y saltee el arroz hasta que esté dorado. Añada la mezcla de cebolla con ajo y caldo, y el líquido de cocción de frijoles, con algunos de ellos. Añada comino y salpimente.

3 Tape la sartén y cuézalo a fuego medio durante 10 minutos, o hasta que el arroz esté a punto. Debería tener un color grisáceo y un sabor delicioso.

4 Ahueque el arroz con un tenedor y déjelo reposar durante 5 minutos, tapado. Puede servirlo espolvoreado con las rodajitas de cebolleta y el cilantro picado.

## VARIACIÓN

*Puede sustituir los frijoles negros por alubias pintas o garbanzos. Siga los mismos pasos de la receta y sirva el arroz acompañado con alguna salsa picante o como guarnición para un plato de carne asada.*

# *Lentejas cocidas con fruta*

### Para 4 personas

## INGREDIENTES

125 g de lentejas verdinas
    o pardinas
1 litro de agua
    aproximadamente
2 cucharadas de aceite vegetal
3 cebollas pequeñas o medianas,
    picadas
4 dientes de ajo picados gruesos

1 manzana de asar grande, picada
    gruesa
¹/₄ de piña madura, sin la piel
    y picada gruesa
2 tomates, sin semillas y cortados
    en dados
1 plátano casi maduro, cortado
    en trocitos

sal
cayena molida, al gusto
una ramita de perejil fresco,
    para adornar

1 Ponga las lentejas y el agua en una cazuela y llévela a ebullición. Baje el fuego y cuézalas durante 40 minutos, hasta que estén blandas. Procure que no se ablanden excesivamente.

2 Mientras tanto, caliente el aceite en una sartén, y fría la cebolla y el ajo hasta que estén ligeramente dorados y blandos. Añada la manzana y siga friendo hasta que esté dorada. Incorpore la piña, removiendo, y a continuación el tomate. Cueza a fuego medio hasta que se espese, removiendo ocasionalmente.

3 Escurra las lentejas, reservando 125 ml de líquido. Incorpórelas a la salsa y vaya añadiendo líquido, si es necesario, removiendo. Caliéntelas durante 1 minuto para que los sabores se mezclen.

4 Añada el plátano a la sartén y sazónelo con sal y cayena molida. Sirva el plato adornado con el perejil.

## VARIACIÓN

*En lugar de lentejas puede preparar el plato con alubias pintas o borlotti cocidas.*

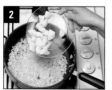

# Sopa seca de fideos

### Para 4 personas

## INGREDIENTES

350 g de pasta fina, como fideos
    o *capellini*
2-3 hojas de laurel
2-3 chorizos
1 cebolla picada
1 pimiento verde o chile verde
    suave, tipo anaheim o
    poblano, sin semillas
    y picado
4-5 dientes de ajo finamente
    picados

350 ml de puré de tomate
350 ml de caldo caliente
    de verduras, pollo o carne
1/4 de cucharadita de comino
    molido
1/2 cucharadita de guindilla roja
    suave en polvo
un pellizco de hojas de orégano
    seco
350 g de queso rallado de sabor
    fuerte

2 cucharadas de cilantro fresco
    picado

1 Hierva la pasta en agua hirviendo con sal y las hojas de laurel. Escurra y retire el laurel. Pase los fideos por agua fría para eliminar el exceso de almidón y déjelos escurrir.

2 Fría el chorizo en una sartén. Cuando empiece a dorarse añada la cebolla, el pimiento y el ajo, y siga

friendo, removiendo de vez en cuando, hasta que las verduras se hayan ablandado.

3 Añada el puré de tomate, el caldo, el comino, la guindilla y el orégano. Retire la sartén del fuego.

4 Mezcle la pasta con la salsa y póngala en un recipiente refractario.

Alise la superficie con una cuchara y espolvoree el queso rallado por encima.

5 Cuézalo en el horno precalentado a 200 °C unos 15 minutos, hasta que el queso esté ligeramente dorado y la pasta, caliente. Sírvala inmediatamente, adornada con el cilantro fresco picado.

# Platos principales

En México, la comida principal es un asunto muy relajado. Se sirve tradicionalmente después de mediodía, y suele incluir un plato principal de carne o pescado. Con una maravillosa mezcla de sabores y métodos de cocción, resultado del complejo y pintoresco pasado de México, la cocina ofrece algunos platos principales deliciosos y repletos de sabor.

Los huevos se preparan con especias, hierbas, ajo y tomate, y se sirven con tortillas, mientras que el pescado se realza con sabrosos adobos especiados, y después se prepara a la parrilla con un aliño de chile ahumado o al horno con lima y cilantro, de lo que resulta un festín de sabores mexicanos.

Las tiras de carne enrolladas en una tortilla, junto con verduras frescas, son típicamente mexicanas, igual que el cerdo estofado con chiles suaves, bananas dulces y boniatos, toda una tentadora gama de sabores y texturas. No deje de probar la clásica preparación mexicana de carne de cerdo cocida a fuego lento, hasta que casi se deshace, y después sofrita hasta que está dorada y crujiente. Prepare el pollo al estilo mexicano estofado con verduras y frutas, o macere unas alitas de pollo en tequila, para realzar su sabor antes de asarlas en la barbacoa.

Sirva cualquiera de los platos de este capítulo para dar el toque del soleado México a sus comidas, tanto si se trata de un almuerzo en familia como de una cena con amigos.

# *Huevos al estilo de Jalisco*

### Para 4 personas

## INGREDIENTES

4 tortillas de maíz
1 aguacate
zumo de lima o limón,
   para el aguacate
175 g de chorizo, cortado
   en rodajas o tacos

2 cucharadas de mantequilla
   o agua, para cocer
4 huevos
4 cucharadas de queso
   feta o wensleydale,
   desmenuzado

salsa de su elección
1 cucharada de cilantro fresco
   picado
1 cucharada de cebolletas
   finamente picadas

1 Caliente las tortillas en una sartén antiadherente sin engrasar, rociándolas con unas gotas de agua mientras lo hace; envuelva las tortillas que vaya sacando en un paño de cocina limpio mientras calienta el resto. También puede calentarlas apiladas en la sartén, cambiándolas de lugar, para que se calienten de manera uniforme. Envuélvalas para mantenerlas calientes.

2 Corte el aguacate por la mitad alrededor del hueso. Separe las dos mitades

y retire el hueso con un cuchillo. Pélelo con cuidado, corte la pulpa en dados y pásela por el zumo de lima o de limón para evitar que se ennegrezca.

3 Dore el chorizo en una sartén y repártalo entre las tortillas calientes. Procure que no se enfríen.

4 Caliente la mantequilla o el agua en una sartén antiadherente, rompa un huevo y cuézalo hasta que la clara haya cuajado pero la yema todavía esté líquida.

Retírelo de la sartén y póngalo sobre una tortilla. Manténgala caliente.

5 Prepare el resto de los huevos de la misma manera, y vaya colocándolos sobre las tortillas.

6 Disponga el aguacate, el queso y una cucharada de salsa sobre cada tortilla. Espolvoree con el cilantro fresco y la cebolleta, y sirva.

# *Migas*

### Para 4 personas

## INGREDIENTES

2 cucharadas de mantequilla

6 dientes de ajo picados

1 chile verde fresco, jalapeño
o serrano, despepitado
y cortado en dados

1¹/₂ cucharadita de comino molido

6 tomates maduros troceados

8-10 tortillas de maíz, cortadas
en tiras y fritas hasta que
estén crujientes, o una
cantidad equivalente de
nachos, no demasiado salados

8 huevos ligeramente batidos

4 cucharadas de cilantro picado

3-4 cebolletas cortadas en tiras
finas

guindilla suave en polvo, para
decorar

1 Derrita la mitad de la mantequilla en una sartén, y rehogue el ajo y el chile hasta que estén blandos, pero no dorados. Añada el comino y rehogue durante 30 segundos, removiendo. Incorpore el tomate y cuézalo a fuego medio otros 3-4 minutos, o hasta que el jugo se haya evaporado. Reserve la salsa en un bol.

2 Derrita el resto de la mantequilla en una sartén a fuego suave, y vierta el huevo batido. Cuézalo, removiendo, hasta que empiece a cuajar.

3 Incorpore la salsa de tomate y chile reservada, removiendo con cuidado para que se mezcle con el huevo.

4 Incorpore con suavidad las tiras de tortilla o los nachos, y siga cociendo, removiendo una o dos veces, hasta que el huevo tenga la consistencia deseada. Las tortillas deberían quedar flexibles y tiernas.

5 Sirva las migas en una fuente, con el cilantro y la cebolleta. Espolvoree con un poco de guindilla en polvo.

## SUGERENCIA

*Sirva las migas con crema agria o nata fresca espesa por encima.*

## VARIACIÓN

*En el paso 3, añada al huevo carne picada de cerdo o buey, ya dorada. O bien, agregue unas espinacas o acelgas cocidas y trinchadas, para aportar un toque fresco y de color.*

# *Huevos al estilo de Oaxaca*

### Para 4 personas

## INGREDIENTES

| | | |
|---|---|---|
| 1 kg de tomates maduros | una pizca de comino molido | 8 huevos ligeramente batidos |
| unas 12 cebollitas, partidas por la mitad | una pizca de orégano seco | 1-2 cucharadas de pasta de tomate |
| 8 dientes de ajo, enteros y sin pelar | una pizca de azúcar, si lo considera necesario | sal y pimienta |
| 2 chiles verdes suaves, frescos | 2-3 cucharaditas de aceite vegetal | 1-2 cucharadas de cilantro fresco picado, para adornar |

1 Caliente una sartén de base gruesa sin engrasar y ase ligeramente los tomates, dándoles la vuelta una o dos veces. Deje que se enfríen.

2 Mientras tanto, ase ligeramente las cebollitas, el ajo y el chile en la sartén. Deje que se entibien.

3 Corte los tomates enfriados en trozos, y póngalos en una batidora o picadora, sin eliminar la piel chamuscada. Retire el rabillo y las semillas de los chiles, pélelos y píquelos. Pele los ajos y píquelos. Pique las cebollas gruesas. Incorpore todas las hortalizas en la batidora.

4 Bata hasta obtener un puré de consistencia gruesa, y a continuación añada el comino y el orégano. Salpimente al gusto, y añada azúcar si lo considera necesario.

5 Caliente el aceite en una sartén antiadherente, vierta un cucharón de huevo y prepare una tortilla fina. Siga preparando otras, y apilándolas en un plato a medida que estén hechas. Córtelas en tiras muy delgadas.

6 Lleve la salsa a ebullición, rectifique de sal y pimienta, y añada pasta de tomate al gusto. Incorpore las tiras de tortilla, caliéntelo bien y sirva el plato de inmediato, adornado con un poco de cilantro fresco picado.

# *Huevos con frijoles refritos*

### Para 4 personas

## INGREDIENTES

400 g de tomates, pelados
y picados
1 cebolla picada
1 diente de ajo finamente picado
$^{1}/_{2}$ chile verde fresco, jalapeño o
serrano, despepitado y picado
$^{1}/_{4}$ de cucharadita de comino
molido
2 cucharadas de aceite de oliva
virgen extra

1 banana, pelada y en dados
1 cucharada de mantequilla
4 tortillas de maíz, calentadas
o fritas como tostadas
1 lata de 400 g de frijoles refritos,
calentadas con 2 cucharadas
de agua
2 cucharadas de agua o de
mantequilla
8 huevos

1 pimiento rojo, asado, pelado,
despepitado y cortado en tiras
3-4 cucharadas de guisantes
cocidos, a temperatura
ambiente
4-6 cucharadas de jamón cocido
o ahumado, cortado en dados
50-75 g de queso feta
3 cebolletas cortadas en rodajitas
sal y pimienta

1 Ponga los tomates en una batidora o picadora, con la cebolla, el ajo, el chile, el comino, sal y pimienta, y bata para hacer un puré.

2 Caliente el aceite en una sartén de base gruesa, ponga un cucharón de salsa, y cuézala hasta que se reduzca y adquiera una consistencia pastosa. Vaya añadiendo y reduciendo la salsa de esta manera. Manténgala caliente.

3 Dore la banana con la mantequilla en una sartén antiadherente de base gruesa. Retírela y resérvela. Extienda los frijoles refritos sobre las tortillas y manténgalas calientes en el horno a temperatura baja.

4 Caliente el agua o la mantequilla en una sartén, rompa un huevo y cuézalo hasta que la clara haya cuajado, pero la yema todavía esté líquida. Retírelo de la sartén y colóquelo encima de una tortilla. Haga lo mismo con el resto de los huevos y las tortillas.

5 Para servir, vierta la salsa caliente alrededor del huevo sobre cada tortilla. Ponga encima los dados de banana, el pimiento, los guisantes, el jamón, el queso feta desmenuzado y la cebolleta. Salpimente al gusto y sírvalo inmediatamente.

# *Pescado con sabores del Yucatán*

### Para 8 personas

## INGREDIENTES

4 cucharadas de semillas de
    achiote, remojadas toda
    la noche
3 dientes de ajo finamente
    picados
1 cucharada de guindilla suave
    molida
1 cucharada de pimentón
1 cucharadita de comino molido
$1/2$ cucharadita de orégano seco

2 cucharadas de cerveza
    o tequila
el zumo de 1 lima y 1 naranja,
    o 3 cucharadas de zumo
    de piña
2 cucharadas de aceite de oliva
2 cucharadas de cilantro fresco
    picado
$1/4$ de cucharadita de canela
    molida

$1/4$ de cucharadita de clavo
    molido
1 kg de filetes de pez espada
hojas de banano, para envolver
    (opcional)
hojas de cilantro fresco, para
    adornar
gajos de naranja, para servir

1 Escurra las semillas de
achiote y májelas en un
mortero hasta obtener una
pasta. Añada el ajo, la
guindilla, el pimentón,
el comino, el orégano, la
cerveza o el tequila, el zumo
de fruta, el aceite, el cilantro,
la canela y el clavo.

2 Unte el pescado con
la pasta y déjelo macerar
en la nevera un mínimo de
3 horas, o bien toda la noche.

3 Envuelva los filetes
de pescado con hojas
de banano, y ate los paquetes
con un cordel. Ponga agua
a hervir en una vaporera, y
cueza al vapor la primera
tanda de pescado en el
colador de la vaporera,
durante unos 15 minutos
o hasta que esté cocido.

4 También puede cocer el
pescado sin envolverlo.
Para asarlo en la barbacoa,

póngalo en un cestito
metálico o en una parrilla,
y cuézalo sobre las brasas
unos 5-6 minutos por cada
lado, hasta que esté en su
punto. También puede asarlo
bajo el grill precalentado
durante 5-6 minutos por
cada lado, hasta que esté listo.

5 Adorne el plato con
el cilantro y sírvalo
con gajos de naranja para
exprimirlos sobre el pescado.

# Gambas con salsa de judías verdes

### Para 4 personas

### INGREDIENTES

3 cebollas picadas

5 dientes de ajo picados

2 cucharadas de aceite vegetal

5-7 tomates maduros, cortados en dados

175-225 g de judías verdes, cortadas en trozos de 5 cm y escaldadas durante 1 minuto

$^1/_4$ de cucharadita de comino molido

una pizca de pimienta de Jamaica molida

una pizca de canela en polvo

$^1/_2$-1 chipotle de lata, en adobo, y un poco del líquido de la lata

450 ml de caldo de pescado, o de agua con un cubito de caldo de pescado

450 g de gambas crudas, peladas

ramitas de cilantro fresco

1 lima cortada en gajos

1 Sofría la cebolla y el ajo en el aceite durante 5-10 minutos, hasta que se ablanden. Añada el tomate y cuézalo otros 2 minutos.

2 Incorpore las judías, el comino, la pimienta de Jamaica, la canela, el chile con su adobo y el caldo de pescado. Llévelo a ebullición, baje la temperatura y cuézalo unos minutos a fuego lento, para que los sabores se vayan mezclando.

3 Añada las gambas y cuézalas sólo durante 1-2 minutos. Retire la sartén del fuego, y deje que las gambas se acaben de cocer en la salsa caliente. Estarán en su punto cuando hayan adquirido un color rosa brillante.

4 Sirva las gambas inmediatamente, adornadas con el cilantro fresco y acompañadas con gajos de lima.

## VARIACIÓN

*Si puede encontrarlos, añada nopales en conserva (cactus comestibles) cortados en tiras, para darle un toque exótico al plato.*

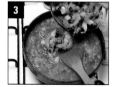

# Mejillones a la cerveza

### Para 4 personas

## INGREDIENTES

| | | |
|---|---|---|
| 1,5 kg de mejillones vivos | 1 chile verde fresco, jalapeño | 2-3 cucharadas de cilantro fresco |
| 450 ml de cerveza | o serrano, despepitado y | picado |
| 2 cebollas picadas | cortado en rodajitas | |
| 5 dientes de ajo picados | 175 g de tomates, frescos | |
| gruesos | o de lata, troceados | |

1 Lave los mejillones bajo el chorro de agua fría y ráspelos para eliminar cualquier impureza. Con un cuchillo afilado, corte las barbas de las valvas. Descarte los mejillones abiertos que no se cierren al golpearlos con un cuchillo. Vuelva a lavarlos con agua fría.

2 Ponga la cerveza, la cebolla, el ajo, el chile y el tomate en una cazuela de base gruesa. Llévelo a ebullición.

3 Incorpore los mejillones y cuézalos, tapados, a fuego medio durante unos 10 minutos, hasta que se abran. Retire los que no se hayan abierto.

4 Sirva los mejillones en cuencos individuales, espolvoreados con cilantro fresco.

## VARIACIÓN

*Añada los granos de maíz de 2 mazorcas a la mezcla de cerveza en el paso 2. Puede que necesite añadir un poquito de azúcar para realzar el dulzor del maíz.*

# Almejas a la barbacoa con salsa de maíz dulce

### Para 4 personas

## INGREDIENTES

2 kg de almejas, con sus valvas

5 tomates maduros

2 dientes de ajo finamente picados

1 lata de 225 g de maíz dulce, escurrido

3 cucharadas de cilantro fresco picado

3 cebolletas cortadas en rodajitas

¹/₄ de cucharadita de comino molido

el zumo de ¹/₂ lima

¹/₂-1 chile verde fresco, sin semillas y finamente picado

sal

gajos de lima, para servir

1 Ponga las almejas en un cuenco grande. Cúbralas con agua fría y añada un puñado de sal. Déjelas 30 minutos en remojo para que expulsen la arena y las impurezas.

2 Mientras tanto, para pelar los tomates, póngalos en un cuenco refractario, cúbralos con agua hirviendo y déjelos 30 segundos en remojo. Escúrralos y sumérjalos en agua fría. La piel se desprenderá con facilidad.

Corte los tomates por la mitad, extraiga las semillas y pique la pulpa.

3 Para hacer la salsa, mezcle en un cuenco el tomate con el ajo, el maíz, el cilantro, la cebolleta, el comino, el zumo de lima y la guindilla. Salpimente al gusto.

4 Escurra las almejas, descartando las que se hayan abierto. Colóquelas sobre el carbón caliente de una barbacoa, 5 minutos por cada lado. Se abrirán cuando estén cocidas. Retire las que no se abran.

5 Retírelas inmediatamente de la barbacoa, cúbralas con la salsa y sírvalas con los gajos de lima para poder rociarlas con el zumo.

## VARIACIÓN

*Si lo desea, para esta receta puede utilizar mejillones en lugar de almejas.*

# Gambas adobadas en chile con salsa de aguacate

### Para 4 personas

## INGREDIENTES

650 g de gambas grandes, peladas

$^1/_2$ cucharadita de comino molido

$^1/_2$ cucharadita de chile suave en polvo

$^1/_2$ cucharadita de pimentón

2 cucharadas de zumo de naranja

la ralladura de 1 naranja

2 cucharadas de aceite de oliva virgen extra

2 cucharadas de cilantro fresco picado, y un poco más para adornar

2 aguacates maduros

$^1/_2$ cebolla finamente picada

$^1/_4$ de chile rojo o verde fresco, sin semillas y picado

el zumo de $^1/_2$ lima

sal y pimienta

1 Mezcle en un cuenco las gambas con el comino, el chile en polvo, el pimentón, el zumo y la ralladura de naranja, el aceite de oliva y la mitad del cilantro. Salpimente al gusto.

2 Ensarte las gambas en brochetas metálicas, o de bambú previamente remojadas en agua fría durante 30 minutos.

3 Corte los aguacates por la mitad alrededor del hueso. Separe las dos mitades y retire el hueso con un cuchillo. Pélelos con cuidado y corte la pulpa en dados. Mézclelos inmediatamente con el resto del cilantro, la cebolla, el chile y el zumo de lima. Salpimente y reserve.

4 Ponga las gambas sobre una barbacoa caliente y déjelas cocer sólo unos minutos por cada lado.

5 Adorne las gambas con el cilantro y sírvalas acompañadas por la salsa de aguacate.

## VARIACIÓN

*Si le apetecen unos suculentos bocadillos, tueste unos panecillos, rebanados y untados con mantequilla, sobre el carbón caliente, y rellénelos con las gambas y la salsa de aguacate.*

# *Calamar con tomate, aceitunas y alcaparras*

### Para 4 personas

## INGREDIENTES

3 cucharadas de aceite de oliva virgen extra

900 g de calamar limpio, cortado en aros y tentáculos

1 cebolla picada

3 dientes de ajo picados

1 lata de 400 g de tomate triturado

$^1/_2$-1 chile verde fresco, sin semillas y picado

1 cucharada de perejil fresco finamente picado

$^1/_4$ de cucharadita de tomillo fresco picado

$^1/_4$ de cucharadita de orégano fresco picado

$^1/_4$ de cucharadita de mejorana fresca picada

un buen pellizco de canela en polvo

un buen pellizco de pimienta de Jamaica

un buen pellizco de azúcar

15-20 aceitunas verdes rellenas de pimiento, cortadas en rodajitas

1 cucharada de alcaparras

sal y pimienta

1 cucharada de cilantro fresco picado, para adornar

1 Caliente el aceite en una sartén y fría el calamar hasta que se vuelva opaco. Salpiméntelo y retírelo de la sartén con una espumadera.

2 Añada la cebolla y el ajo al resto del aceite de la sartén y fríalos hasta que se hayan ablandado. Incorpore el chile, las hierbas, la canela, la pimienta de Jamaica, el tomate, el azúcar y las aceitunas. Tape la sartén y cueza a fuego medio 5-10 minutos. Cuando la mezcla se haya espesado un poco, destápela y siga cociendo 5 minutos más para que se concentren los sabores.

3 Incorpore el calamar reservado y el jugo que pueda haber soltado. Añada las alcaparras y caliéntelo todo bien.

4 Rectifique de sal y pimienta y sirva el calamar inmediatamente, adornado con el cilantro fresco.

# *Vieiras salteadas a la mexicana*

### Para 4–6 personas

## INGREDIENTES

| | |
|---|---|
| 2 cucharadas de mantequilla | ${}^1/_2$ chile verde fresco, sin semillas y picado fino |
| 2 cucharadas de aceite de oliva virgen extra | 2 cucharadas de cilantro fresco finamente picado |
| 650 g de vieiras sin concha | el zumo de ${}^1/_2$ lima |
| 4-5 cebolletas cortadas en rodajitas | sal y pimienta |
| 3-4 dientes de ajo finamente picados | gajos de lima, para servir |

1 Ponga la mitad de la mantequilla y del aceite en una sartén de base gruesa y caliéntelo hasta que burbujee.

2 Cueza rápidamente las vieiras hasta que empiecen a volverse opacas. No las deje cocer demasiado. Retírelas de la sartén con una espumadera y manténgalas calientes.

3 Añada el resto de la mantequilla y del aceite

a la sartén y fría las cebolletas y el ajo a fuego medio hasta que se ablanden. Incorpore de nuevo las vieiras.

4 Retire la sartén del fuego y añada el chile picado y el cilantro. Rocíe por encima con el zumo de media lima. Salpimente al gusto y mézclelo todo, removiendo bien.

5 Sirva las vieiras en seguida, con los gajos de lima para rociarlas de zumo.

## VARIACIÓN

*Mezcle las vieiras que puedan sobrar con un poco de alioli o mayonesa mezclada con ajo y un poco de aceite de oliva. Sírvalas con pimientos asados sobre un lecho de verduras y un puñado de aceitunas negras, para dar un toque mediterráneo a este plato mexicano.*

# Salmón picante a la parrilla

### Para 4 personas

## INGREDIENTES

4 lonchas de salmón de unos
175 g cada una
gajos de lima, para servir

ADOBO:
4 dientes de ajo
2 cucharadas de aceite de oliva
virgen extra
una pizca de pimienta de Jamaica
molida

una pizca de canela en polvo
el zumo de 2 limas
1-2 cucharaditas de adobo de
chipotle de lata o de salsa
chipotle envasada
$^1/_4$ cucharadita de comino molido
una pizca de azúcar
sal y pimienta

PARA SERVIR:
trozos de tomate
3 cebolletas finamente picadas
lechuga cortada en tiras finas

1 Para preparar el adobo pique el ajo bien fino y póngalo en un cuenco con el aceite de oliva, la pimienta de Jamaica, la canela, el zumo de lima, el adobo de chipotle, el comino y el azúcar. Añada un poquito de sal y pimienta, removiendo para mezclar.

2 Recubra el salmón con la mezcla de ajo y déjelo macerar en la nevera toda la noche, o como mínimo una

hora, en un recipiente que no sea metálico.

3 Incorpore el salmón a una bandeja para el horno, y áselo bajo el grill caliente unos 3-4 minutos por cada lado. También lo puede cocinar sobre el carbón caliente de una barbacoa hasta que esté a punto.

4 Para servirlo, mezcle los trozos de tomate

con la cebolleta. Coloque el salmón en platos individuales y disponga la ensalada de tomate y las tiras de lechuga a un lado. Adórnelo con los gajos de lima y sírvalo inmediatamente.

## VARIACIÓN

*Este adobo también
combina con rodajas
de atún fresco.*

# Pescado al horno con lima

### Para 4 personas

## INGREDIENTES

| | | |
|---|---|---|
| 1 kg de filetes de pescado blanco, como lubina, platija o bacalao fresco | 1 lima partida por la mitad | 6-8 cucharadas de cilantro fresco picado |
| 3 cucharadas de aceite de oliva virgen extra | 1 cebolla grande picada | sal y pimienta |
| | 3 dientes de ajo picados | gajos de limón y de lima, para servir |
| | 2-3 chiles jalapeños en escabeche (véase sugerencia), picados | |

1 Ponga los filetes de pescado en un cuenco y salpiméntelos. Rocíelos con el zumo de lima.

2 Caliente el aceite de oliva en una sartén. Sofría la cebolla y el ajo unos 2 minutos, removiendo con frecuencia, hasta que se ablanden. Retire la sartén del fuego.

3 Ponga un tercio del contenido de la sartén y un poco de chile sobre la base de una fuente poco honda para el horno. Coloque el pescado encima, y remate con los dos tercios restantes de cebolla y ajo, el chile y el cilantro.

4 Hornee el pescado en el horno precalentado a 180 ºC unos 15-20 minutos o hasta que esté ligeramente opaco y firme al tacto. Sírvalo inmediatamente, con gajos de limón y de lima para exprimir por encima.

### SUGERENCIA

*Encontrará los jalapeños en escabeche en tiendas especializadas.*

### VARIACIÓN

*Añada unas rodajas de tomate fresco o tomate de lata triturado a la mezcla de cebolla, al final del paso 2.*

# Bogavante al estilo de Playa Rosarita

### Para 4 personas

## INGREDIENTES

2-4 bogavantes cocidos,
dependiendo de su tamaño,
cortados a lo largo en dos
mitades, o 4 colas de langosta
o bogavante con la carne
ligeramente separada
del caparazón

MANTEQUILLA DE CHILE:
115 g de mantequilla sin sal,
ablandada
3-4 cucharadas de cilantro fresco
picado
unos 5 dientes de ajo
picados
2-3 cucharadas de chile suave en
polvo
el zumo de ¹/₂ lima
sal y pimienta

PARA SERVIR:
400 g de alubias refritas,
calentadas con 2 cucharadas
de agua
cebolletas picadas
gajos de lima
salsa de su elección

1 Para hacer la mantequilla de chile, ponga la mantequilla en un cuenco y mézclela con el cilantro, el ajo, el chile en polvo y el zumo de lima. Añada sal y pimienta.

2 Unte con la mantequilla el lado cortado de los bogavantes, introduciéndola por todas las aberturas.

3 Envuélvalos con papel de aluminio y áselos, con el lado cortado hacia arriba, sobre el carbón caliente de la barbacoa, unos 15 minutos o hasta que estén a punto.

4 Acompáñelos con las alubias refritas calentadas espolvoreadas con cebolleta, los gajos de lima y la salsa.

### SUGERENCIA

*Esta mantequilla está también deliciosa con rodajas de pescado a la parrilla y gambas grandes.*

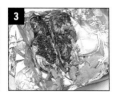

# Ropa vieja

### Para 6 personas

## INGREDIENTES

1,5 g de falda de buey o algún
    otro tipo de carne para
    estofar
caldo de carne
1 zanahoria cortada en rodajas
10 dientes de ajo cortados
    en rodajas
2 cucharadas de aceite vegetal
2 cebollas cortadas
    en rodajitas
3-4 chiles verdes frescos, tipo

anaheim o poblano, sin
    semillas y cortados en rodajas
tortillas de harina de trigo
    calientes, para servir

ENSALADA:
3 tomates maduros cortados
    en dados
8-10 rábanos cortados en dados
3-4 cucharadas de cilantro fresco
    picado

4-5 cebolletas picadas
1-2 limas, cortadas en gajos

1 Ponga la carne en una cazuela grande y cúbrala con una mezcla de caldo y de agua. Añada la zanahoria y la mitad del ajo, y salpimente al gusto. Tape la cazuela, llévela a ebullición y baje el fuego. Retire las impurezas de la superficie, vuelva a tapar la cazuela y cueza la carne a fuego suave unas 2 horas, hasta que esté muy tierna.

2 Retire la cazuela del fuego y deje enfriar la carne en el líquido. Cuando se haya enfriado lo suficiente, retírela del líquido y desmenúcela con los dedos ayudándose con un tenedor.

3 Caliente el aceite en una sartén grande y fría el resto de los ajos con las cebollas y los chiles hasta que tengan un poco de color. Retírelo de la sartén y reserve.

4 Añada la carne a la sartén y sofríala a fuego medio hasta que esté dorada y crujiente. Póngala en una fuente de servir, y coloque encima un poco de mezcla de cebolla. Disponga a su alrededor la ensalada de tomate, rábano, cilantro y cebolleta, y los gajos de lima. Sirva el plato acompañado con las tortillas calientes.

# *Fajitas de carne tradicionales*

### Para 4-6 personas

## INGREDIENTES

700 g de falda de buey
u otro tipo de carne tierna,
cortada en tiras
6 dientes de ajo picados
el zumo de 1 lima
un buen pellizco de chile suave
en polvo
un buen pellizco de
pimentón
un buen pellizco de comino
molido

1-2 cucharadas de aceite
de oliva virgen extra
aceite vegetal para freir
12 tortillas de harina de trigo
1-2 aguacates, deshuesados,
cortados en rodajas
y pasados por zumo de lima
125 ml de crema agria
sal y pimienta

SALSA PICO DE GALLO:
8 tomates maduros cortados
en dados
3 cebolletas cortadas en rodajas
1-2 chiles verdes frescos,
tipo jalapeño o serrano,
sin semillas y picados
3-4 cucharadas de cilantro fresco
picado
5-8 rábanos cortados en dados
comino molido

1 Mezcle la carne el ajo, el zumo de lima, el chile en polvo, el pimentón, el comino y el aceite de oliva. Añada sal y pimienta, mézclelo todo bien, y déjelo macerar toda la noche en la nevera o, como mínimo, durante 30 minutos a temperatura ambiente.

2 Para la salsa pico de gallo, sazone en un cuenco el tomate, la cebolleta, el chile verde, el cilantro y los rábanos con comino, sal y pimienta. Reserve.

3 Caliente las tortillas en una sartén antiadherente sin engrasar y envuélvalas en papel de aluminio para evitar que se enfríen.

4 En la sartén, saltee la carne con un poco de aceite a fuego vivo, hasta que esté hecha.

5 Sirva la carne bien caliente acompañada con las tortillas, la salsa pico de gallo, el aguacate y la crema agria, para que cada comensal se prepare su propia fajita.

## SUGERENCIA

*Una guarnición refrescante podría ser una ensalada de lechuga y naranja.*

# Buey al estilo de Michoacán

### Para 4–6 personas

## INGREDIENTES

unas 3 cucharadas de harina
de trigo
1 kg de carne de buey para
estofar, cortada en tacos
2 cucharadas de aceite
vegetal
2 cebollas picadas
5 dientes de ajo picados

400 g de tomates cortados
en dados
1¹/₂ chiles chipotle secos,
rehidratados (véase pág. 100),
sin semillas y cortados en
tiras finas, o unos chorritos
de salsa chipotle embotellada
1,5 litros de caldo de carne

350 g de judías verdes,
con las puntas recortadas
una pizca de azúcar
sal y pimienta

PARA SERVIR:
alubias calientes
arroz cocido

1 Ponga la harina en un cuenco grande y añada sal y pimienta. Reboce la carne. Retírela del cuenco, sacudiendo el exceso de rebozado.

2 Caliente el aceite en una sartén y dore la carne brevemente a fuego vivo. Baje un poco la temperatura, añada la cebolla y el ajo y déjelo cocer unos 2 minutos más.

3 Incorpore los tomates, el chile y el caldo a la sartén, tápela y mantenga el fuego bajo 1¹/₂ horas, o hasta que la carne esté muy tierna. Añada las judías verdes 15 minutos antes de terminar la cocción. De vez en cuando, retire la grasa de la superficie de la sartén.

4 Sirva el buey en cuencos individuales, acompañado con las alubias y el arroz.

## SUGERENCIA

*Esta receta se prepara tradicionalmente con nopales, que le dan al plato un sabor característico. Intente encontrarlos en tiendas especializadas. Para esta receta necesitará 350-400 g de nopales de lata o frescos, pelados, cortados en rodajas y escaldados. Añádalos junto con los tomates en el paso 3.*

# Chiles rellenos de carne

### Para 4 personas

## INGREDIENTES

4 chiles poblano, frescos y de
  buen tamaño
harina para espolvorear
aceite vegetal para freír
salsa de tomate rápida (véase
  pág. 82), para servir

RELLENO DE CARNE PICANTE:
500 g de carne de buey picada
1 cebolla finamente picada

2-3 dientes de ajos picados finos
50 ml de jerez seco o dulce
una pizca de canela en polvo
una pizca de clavo molido
una pizca de comino molido
1 lata de 400 g de tomate
  triturado
1-3 cucharaditas de azúcar
3 cucharadas de cilantro fresco
  picado

1 cucharada de vinagre
2-3 cucharadas de almendras
  tostadas picadas gruesas
sal y pimienta

REBOZADO:
6-8 cucharadas de harina de trigo
3 huevos, las yemas separadas de
  las claras
125 ml de agua

1 Ase los chiles bajo el grill hasta que la piel esté chamuscada. Introdúzcalos en una bolsa de plástico, ciérrela bien y déjelos reposar 20 minutos. Haga una incisión en un lado de los chiles para extraer las semillas, dejando el rabillo intacto. Reserve.

2 Dore la carne y la cebolla en una sartén de base gruesa a fuego medio. Retire el exceso de grasa, añada el ajo y el jerez y déjela en el fuego hasta que el líquido se haya evaporado casi del todo.

3 Sazónela con la sal, la pimienta, la canela, el clavo y el comino, y añada los tomates, el azúcar y el vinagre. Cuézala a fuego medio hasta que los tomates se hayan reducido a una salsa espesa y de sabor intenso.

4 Agregue el cilantro fresco y las almendras, removiendo. Rellene al máximo los chiles y espolvoréelos con harina. Reserve.

5 Bata ligeramente las yemas de huevo con la harina, una pizca de sal y agua suficiente para hacer una pasta espesa. Bata las claras a punto de nieve. Añada las claras a la pasta, y reboce con cuidado los chiles.

6 Caliente bien el aceite en una sartén honda hasta que empiece a humear. Fría con cuidado los chiles hasta que estén dorados. Sirva el plato caliente, rematado con la salsa de tomate.

# Cerdo picante con ciruelas pasas

### · Para 4-6 personas ·

## INGREDIENTES

1,5 kg de carne de cerdo, de
    paleta o aguja
el zumo de 2-3 limas
10 dientes de ajo picados
3-4 cucharadas de chile suave en
    polvo, tipo ancho
    o Nuevo México
4 cucharadas de aceite vegetal

2 cebollas picadas
500 ml de caldo de pollo
25 tomates redondos y pequeños,
    picados gruesos
25 ciruelas pasas
    deshuesadas
1-2 cucharaditas de azúcar
una pizca de canela en polvo

una pizca de pimienta de Jamaica
    molida
una pizca de comino molido
sal
tortillas de maíz calientes,
    para servir

1 Mezcle la carne con el zumo de lima, el ajo, el chile en polvo, 2 cucharadas de aceite y sal. Déjela macerar en la nevera toda la noche.

2 Retire la carne del adobo, pero resérvelo. Séquela con papel de cocina. Caliente el resto del aceite en una cazuela refractaria y dore la carne de manera uniforme. Añada las cebollas, el adobo reservado y el caldo. Tape la cazuela y cueza el guiso en el horno precalentado a 180 ºC durante unas 2-3 horas, hasta que la carne esté tierna.

3 Retire la grasa de la superficie del líquido de cocción y agregue el tomate. Siga cociendo durante 20 minutos más, hasta que el tomate se haya ablandado. Prepare un puré grueso con la salsa. Incorpore las ciruelas pasas y el azúcar; rectifique de sal y añada canela, pimienta de Jamaica, comino al gusto, y un poco más de chile en polvo, si lo desea.

4 Suba la temperatura del horno a 200 ºC y cuézalo todo junto en el horno durante otros 20-30 minutos, hasta que la carne se haya dorado por arriba y la salsa se haya espesado.

5 Retire la carne de la cazuela y déjela reposar unos minutos. Con cuidado, córtela en lonchas finas, y vierta cucharadas de salsa por encima. Sírvala caliente, acompañada con las tortillas de maíz.

# Mole rojo de cerdo y chile

### Para 6 personas

## INGREDIENTES

1,25 kg de carne de cerdo, de
aguja o falda, troceada
1 cebolla picada
1 cabeza de ajos entera
2 hojas de laurel
1-2 cubitos de caldo
6 chiles ancho secos
6 chiles guajillo

3-5 tomates grandes, maduros
y sabrosos
$^1/_4$ de cucharadita de clavo molido
$^1/_4$ de cucharadita de pimienta de
Jamaica molida
85 g de semillas de sésamo
tostadas
3 cucharadas de aceite vegetal

1 plátano o banana grande y
maduro, pelado y troceado
6-8 patatas harinosas, en tacos
3 cucharadas de hierba santa, o
una mezcla picada de menta,
orégano y cilantro frescos
1 rama de canela
sal y pimienta

1 Ponga la carne de cerdo
en una cazuela grande
con la cebolla, el ajo, las hojas
de laurel, sal y pimienta, y
llénela con agua fría.

2 Llévela a ebullición y
baje el fuego. Retire las
impurezas de la superficie,
incorpore los cubitos de caldo
y cueza la carne, unas 3 horas,
hasta que esté muy tierna.

3 Mientras tanto saltee los
chiles en una sartén de
base gruesa sin engrasar hasta
que cambien de color.

Póngalos en un cuenco
y llénelo con agua hirviendo.
Tápelo y déjelos unos
20-30 minutos para que
se ablanden.

4 Dore la base de los
tomates en la sartén, y
después chamusque la parte
superior bajo el grill caliente.
Déjelos enfriar.

5 Cuando los chiles estén
blandos, retire el rabillo
y las semillas y tritúrelos con
un poco de líquido. Añada
los tomates asados, el clavo,

la pimienta de Jamaica,
$^2/_3$ de las semillas de sésamo
y el plátano, y prepare un
puré suave.

6 Saque la carne de
la cazuela y resérvela.
Retire la grasa de la superficie
del caldo.

7 Caliente el aceite en una
cazuela, y cueza el puré
de tomate unos 10 minutos,
hasta que se espese. Incorpore
las patatas y las hierbas,
procurando que las patatas
queden cubiertas por la salsa.
Añada la rama de canela.

8 Cuando las patatas estén
blandas, añada la carne
y caliéntela bien. Repártala
en cuencos individuales, y
esparza las semillas de sésamo
reservadas por encima.

# Chile verde

### Para 4 personas

## INGREDIENTES

1 kg de carne de cerdo cortada
    en dados
1 cebolla picada
2 hojas de laurel
1 cabeza de ajos cortada
    por la mitad
1 cubito de caldo
2 dientes de ajo picados
450 g de tomatillos frescos,
    pelados, cocidos en un poco
    de agua hasta que estén

tiernos, y después picados;
    o tomatillos de lata
2 chiles verdes suaves, frescos
    (por ejemplo anaheim), o una
    combinación de 1 pimiento
    verde y 2 jalapeños, sin
    semillas y picados
3 cucharadas de aceite vegetal
225 ml de caldo de pollo o de
    cerdo
$^1/_2$ cucharadita de chile suave en

polvo, tipo ancho o Nuevo
    México
$^1/_2$ cucharadita de comino
4-6 cucharadas de cilantro fresco
    picado, para adornar

PARA SERVIR:
tortillas de harina de trigo
    calientes
gajos de lima

1 Ponga la carne en una
cazuela grande con la
cebolla, el laurel, los ajos
y el cubito de caldo. Añada
agua hasta cubrirla y llévela
a ebullición. Retire las
impurezas de la superficie,
baje la temperatura al mínimo
y deje cocer la carne 1$^1/_2$ horas
o hasta que esté muy tierna.

2 Mientras tanto, ponga
el ajo picado en una
batidora o picadora, con los

tomatillos, el chile verde
y el pimiento, si lo utiliza, y
prepare un puré.

3 Caliente el aceite en una
sartén y cueza la mezcla
de tomatillos a fuego medio
unos 10 minutos o hasta que
se espese. Agregue el caldo,
el chile en polvo y el comino.

4 Cuando la carne esté
tierna, retírela de la
cazuela y añádala a la sartén.

Mantenga el fuego suave para
que se mezclen los sabores.

5 Adorne la carne con el
cilantro picado y sírvala
acompañada con las tortillas
calientes y los gajos de lima.

# *Albóndigas con salsa dulce y picante*

### Para 4 personas

## INGREDIENTES

225 g de carne de cerdo picada

225 g de carne de buey o cordero picada

6 cucharadas de arroz cocido o de nachos finamente triturados

1 huevo ligeramente batido

1¹/₂ cebolla finamente picada

5 dientes de ajo finamente picados

¹/₂ cucharadita de comino molido

2 cucharadas de pasas

un buen pellizco de canela en polvo

1 cucharada de azúcar de melaza

1-2 cucharadas de vinagre de sidra

1 lata de 400 g de tomates, escurridos y picados

350 ml de caldo de carne

1-2 cucharadas de chile en polvo, tipo ancho o de sabor suave

1 cucharada de pimentón

1 cucharada de cilantro fresco picado

1 cucharada de perejil fresco picado o menta

2 cucharadas de aceite vegetal

2 boniatos, pelados y cortados en taquitos

sal y pimienta

queso rallado, para servir

1 Mezcle bien la carne con el arroz o los nachos machacados, el huevo, la mitad de la cebolla, la mitad del ajo, el comino, la canela y las pasas.

2 Divida la mezcla en partes iguales y déles forma de albóndigas. Fríalas en una sartén antiadherente a fuego medio, añadiendo un poco de aceite si fuera necesario, para que queden algo doradas. Retírelas de la sartén y resérvelas. Limpie la sartén con papel de cocina.

3 Ponga el azúcar de melaza en una picadora o batidora con el vinagre, el tomate, el caldo, el chile en polvo, el pimentón, el resto de la cebolla y el ajo. Bátalo bien y agregue las hierbas frescas. Reserve.

4 Caliente el aceite en la sartén limpia, y fría el boniato hasta que esté blando y dorado. Vierta por encima la salsa e incorpore las albóndigas a la sartén. Déjelas cocer durante unos 10 minutos, hasta que estén bien calientes y los sabores se hayan mezclado. Salpiméntelas y sírvalas acompañadas con el queso rallado.

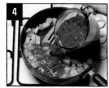

# *Carnitas*

### Para 4–6 personas

## INGREDIENTES

1 kg de carne de cerdo,
   por ejemplo de falda
1 cebolla picada
1 cabeza de ajos cortada
   por la mitad
$^1/_2$ cucharadita de comino molido
2 cubitos de caldo de carne
2 hojas de laurel
aceite vegetal para freír

sal y pimienta
tiras de chile fresco,
   para adornar

PARA SERVIR:
arroz cocido
alubias refritas (véase pág. 144)
salsa de su elección

1 Ponga la carne en una cazuela de base gruesa con la cebolla, el ajo, el comino, los cubitos de caldo y el laurel. Añada suficiente agua para cubrirlo todo. Llévelo a ebullición, y después baje la temperatura al mínimo. Retire la espuma y las impurezas de la superficie del líquido.

2 Siga cociéndolo unas 2 horas, hasta que la carne esté tierna. Retire la cazuela del fuego y deje enfriar la carne en el líquido de cocción.

3 Saque la carne de la cazuela y retírele la grasa que pueda tener (puede freírla por separado para preparar chicharrones). Córtela en trocitos y salpiméntela. Reserve 300 ml del líquido de cocción.

4 Dore la carne en una sartén de base gruesa durante 15 minutos, para que expulse la grasa. Añada el líquido de cocción reservado y déjelo reducir. Siga cociendo la carne otros 15 minutos, tapando la sartén para evitar salpicaduras. Déle la vuelta de vez en cuando.

5 Incorpore la carne a una fuente de servir, adórnela con las tiras de chile y sírvala con el arroz, las alubias refritas y la salsa.

# Revoltillo de carne y chipotle

### Para 6 personas

## INGREDIENTES

1 cucharada de aceite vegetal

1 cebolla finamente picada

450 g de restos de carne, por ejemplo de cerdo o de buey, fría y cortada en tiras finas

1 cucharada de chile suave en polvo

2 tomates maduros, sin semillas y cortados en dados

unos 225 ml de caldo de carne

$^1/_2$-1 chile chipotle de lata, hecho puré con un poco del adobo, o unos chorritos de salsa chipotle embotellada

PARA SERVIR:

125 ml de crema agria

4-6 cucharadas de cilantro fresco picado

4-6 cucharadas de rábanos picados

3-4 hojas de lechuga tipo cos, cortadas en tiras finas

1 Caliente el aceite en una sartén y sofría la cebolla hasta que se ablande, removiendo ocasionalmente. Añada la carne y saltéela unos 3 minutos, removiendo, hasta que esté un poco dorada.

2 Incorpore el chile en polvo, los tomates y el caldo y cuézalo todo hasta que el líquido se reduzca a una salsa; desmenuce un poco la carne mientras se cuece.

3 Añada los chipotles y, mientras se cuecen, siga desmenuzando la carne hasta que quede mezclada con la salsa.

4 Sirva el plato con algunas tortillas de maíz calientes, para que los comensales las puedan rellenar con el revoltillo de carne y prepararse unos tacos. Acompáñelo también con la crema agria, el cilantro fresco, los rábanos y la lechuga.

## SUGERENCIA

*Los aguacates aportan una textura interesante a este revoltillo picante: acompáñelo con 2 aguacates cortados en rodajas, pasados por zumo de lima. También puede servirlo sobre tostadas (tortillas fritas y crujientes) en lugar de envuelto en tacos.*

# Estofado de cerdo, pollo, verdura y fruta

### Para 6-8 personas

## INGREDIENTES

900 g de carne de cerdo
   deshuesada, en uno o
   varios trozos
2 hojas de laurel
1 cebolla picada
8 dientes de ajo picados finos
2 cucharadas de cilantro fresco
   picado
1 zanahoria cortada en rodajitas
2 tallos de apio cortados en
   dados

2 cubitos de caldo de pollo
$^1/_2$ pollo cortado en porciones
4-5 tomates maduros cortados
   en dados
$^1/_2$ cucharadita de chile suave en
   polvo
la ralladura de $^1/_4$ de naranja
$^1/_4$ de cucharadita de comino
   molido
el zumo de 3 naranjas
1 calabacín cortado en trocitos

$^1/_4$ de col, cortada en tiras finas y
   escalfada
1 manzana cortada en trocitos
unas 10 ciruelas pasa,
   deshuesadas
$^1/_4$ de cucharadita de canela en
   polvo
una pizca de jengibre seco
2 chorizos secos, de un total de
   350 g, cortados en tacos
sal y pimienta

1 Introduzca en una cazuela grande la carne de cerdo, el laurel, la cebolla, el ajo, el cilantro, la zanahoria y el apio, y llénela con agua fría. Llévela a ebullición, retirando las impurezas de la superficie. Baje el fuego y déjelo cocer 1 hora.

2 Añada los cubitos de caldo, el pollo, el chile en polvo, el tomate, la ralladura de naranja y el comino. Sígalo cociendo todo 45 minutos más, o hasta que el pollo esté tierno. Retire la grasa de la superficie del líquido.

3 Agregue el zumo de naranja, el calabacín, la col, la manzana, las ciruelas pasa, la canela, el jengibre y el chorizo, y manténgalo a fuego suave 20 minutos, hasta que el calabacín se ablande y el chorizo esté hecho.

4 Salpimente al gusto. Sirva el estofado en seguida, acompañándolo con arroz, tortillas y salsa.

# Pechugas de pollo con salsa verde y crema agria

### Para 4 personas

## INGREDIENTES

4 filetes de pechuga de pollo

2-3 cucharadas de mantequilla
o de mantequilla mezclada
con aceite

450 g de salsa verde suave
o puré de tomatillos

225 ml de caldo de pollo

1-2 dientes de ajo finamente
picados

3-5 cucharadas de cilantro fresco
picado

¹/₂ chile verde fresco,
sin semillas y picado

¹/₂ cucharadita de comino molido

sal y pimienta

PARA SERVIR:

225 ml de crema agria

varias hojas de lechuga cos,
cortadas en tiras finas

3-5 cebolletas cortadas
en rodajitas

cilantro fresco picado grueso

1 Espolvoree el pollo con sal y pimienta y a continuación rebócelo con la harina. Sacúdalo para eliminar el exceso.

2 Derrita la mantequilla en una sartén, y fría en ella los filetes de pollo a fuego medio, dándoles la vuelta una sola vez. Deben quedar dorados pero no totalmente cocidos, ya que terminarán de hacerse en la salsa. Retírelos de la sartén y resérvelos.

3 Incorpore en una cazuela la salsa, el caldo, el ajo, el cilantro, el chile y el comino y llévelo todo a ebullición. Añada las pechugas de pollo, esparciendo algunas cucharadas de salsa por encima. Siga cociéndolo todo hasta que el pollo esté hecho.

4 Retire el pollo de la cazuela y salpiméntelo al gusto. Acompáñelo con la crema agria, las tiras de lechuga, la cebolleta y el cilantro.

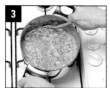

# *Pollo con salsa de vinagre al estilo del Yucatán*

### Para 4-6 personas

## INGREDIENTES

8 muslitos de pollo deshuesados
caldo de pollo
15-20 dientes de ajo sin pelar
1 cucharadita de pimienta negra
molida gruesa
$^1/_2$ cucharadita de clavo molido
$^1/_2$ cucharadita de sal
1 cucharada de zumo de lima

2 cucharaditas de orégano seco
triturado o $^1/_2$ cucharadita de
de laurel triturado o molido
1 cucharadita de semillas de
comino, ligeramente tostadas
1 cucharada de harina, y un poco
más para espolvorear el pollo
3-4 cebollas cortadas en rodajitas

2 chiles frescos, preferiblemente
amarillos de sabor suave,
como guero mexicano o
algún tipo de chile griego o
turco similar, sin semillas y
cortados en rodajas
125 ml de aceite vegetal
100 ml de vinagre de sidra o jerez

1 En una cazuela, lleve a ebullición el pollo bien recubierto con el caldo. Baje la temperatura y déjelo a fuego suave 5 minutos. Retire la cazuela del fuego y deje reposar el contenido. Se seguirá cociendo mientras se enfría.

2 Mientras tanto dore los ajos por ambos lados en una sartén sin engrasar. Una vez se hayan enfriado, pélelos y colóquelos en un cuenco.

3 Maje los ajos con la sal, la pimienta, el clavo, el zumo de lima, el orégano y tres cuartas partes de las semillas de comino. Mézclelo todo con la harina.

4 Cuando el pollo se haya enfriado, retírelo de la cazuela y séquelo con papel de cocina, reservando el caldo aparte. Unte el pollo con dos terceras partes de la pasta de ajo y déjelo macerar toda la noche en la nevera o, como

mínimo, 30 minutos a temperatura ambiente.

5 Fría la cebolla y el chile con muy poco aceite, hasta que se doren. Añada el vinagre y el resto del comino, y déjelo cocer unos minutos. Incorpore el caldo reservado y el resto de la pasta de ajo, removiendo, y cuézalo unos 10 minutos, hasta que el caldo se haya reducido.

6 Reboce el pollo con harina, y fríalo en una sartén con el resto del aceite hasta que esté dorado. Retírelo de la sartén y sírvalo inmediatamente. Ponga sobre cada porción unas cucharadas de salsa de cebolla y vinagre.

# *Alitas de pollo crujientes al adobo de tequila*

### Para 4 personas

## INGREDIENTES

900 g de alitas de pollo

11 dientes de ajo finamente picados

el zumo de 2 limas

el zumo de 1 naranja

2 cucharadas de tequila

1 cucharada de chile suave en polvo

2 cucharaditas de salsa chipotle (véase pág. 98) o puré de 2 chiles chipotle secos y rehidratados (véase pág. 100)

2 cucharadas de aceite vegetal

1 cucharadita de azúcar

1/4 de cucharadita de pimienta de Jamaica molida

una pizca de canela en polvo

una pizca de comino molido

una pizca de orégano seco

1 Parta las alitas de pollo en dos por la articulación.

2 Colóquelas en un recipiente no metálico y añada el resto de los ingredientes, removiéndolos bien para que las alitas queden rebozadas. Déjelas macerar toda la noche en la nevera o como mínimo 3 horas.

3 Ase las alitas sobre el carbón caliente de la barbacoa, hasta que estén doradas y crujientes (unos 15-20 minutos); déles la vuelta ocasionalmente. Para comprobar si el pollo está cocido, atraviese una de sus partes gruesas con un pincho de cocina: el jugo que se desprende debería ser de un tono claro. Sírvalas inmediatamente.

## SUGERENCIA

*El tequila es la bebida alcohólica más famosa de México, y se elabora a partir del agave.*

# *Pollo adobado con cítricos*

### Para 4 personas

## INGREDIENTES

1 pollo cortado en 4 cuartos
1 cucharada de chile suave
    en polvo
1 cucharada de pimentón
2 cucharaditas de comino molido
el zumo y la ralladura
    de 1 naranja
el zumo de 3 limas
una pizca de azúcar

8-10 dientes de ajo finamente
    picados
1 ramito de cilantro fresco,
    picado grueso
2-3 cucharadas de aceite
    de oliva virgen extra
50 ml de cerveza, tequila o zumo
    de piña (opcional)
sal y pimienta

PARA SERVIR:
gajos de lima
ensalada de tomate, pimiento
    y cebolleta
ramitas de cilantro fresco

1 Coloque el pollo en un recipiente no metálico. Para preparar el adobo, mezcle en un bol el resto de los ingredientes y salpiméntelos.

2 Vierta el adobo sobre el pollo, y déle la vuelta para rebozarlo bien. Macérelo en la nevera 24 horas, o como mínimo 1 hora a temperatura ambiente.

3 Retire el pollo del adobo y séquelo con papel.

4 Colóquelo en una fuente para el horno y hornéelo bajo el grill precalentado durante 20-25 minutos, hasta que esté bien cocido, dándole la vuelta una sola vez. Píntelo de vez en cuando con el adobo. Para comprobar si está hecho, atraviese una de sus partes gruesas con un pincho de cocina: el jugo que se desprenda debería ser de un tono claro. En lugar de hornearlo, también puede asarlo a la parrilla.

5 Adorne el plato con el cilantro y sírvalo acompañado con los gajos de lima y una refrescante ensalada.

# Picantones al adobo verde

### Para 4 personas

## INGREDIENTES

10 dientes de ajo picados
el zumo de 1 lima
1 ramito de cilantro fresco,
    picado fino
$^1/_2$ chile verde fresco,
    sin semillas y picado
1 cucharadita de comino molido

4 picantones
350 g de nata fresca espesa
1 pimiento rojo asado, pelado, sin
    semillas y cortado en dados
$^1/_4$-1 cucharadita de adobo de
    chipotles de lata o salsa
    chipotle

3-5 cebolletas cortadas
    en rodajitas
un puñado de semillas
    de calabaza tostadas
sal y pimienta

1 Mezcle en un bol unos 9 dientes de ajo con el zumo de lima, unos $^3/_4$ del cilantro fresco, el chile verde y la mitad del comino. Presione la pasta sobre los picantones y déjelos macerar toda la noche en la nevera, o como mínimo 3 horas.

2 Ponga los picantones en una bandeja y áselos en el horno precalentado a 200 °C durante unos 15 minutos. Retírelos del horno para comprobar si están cocidos: pinchando el muslo con un cuchillo, el

jugo que suelta debería ser claro. Si es necesario, vuelva a introducirlos en el horno y siga asándolos hasta que estén hechos.

3 Mientras tanto mezcle la nata fresca con el pimiento, el adobo de chipotle y el resto del ajo y del comino. Salpimente.

4 Acompañe cada picantón con una cucharada de salsa de pimiento y espolvoreado con el resto del cilantro, las cebolletas y las pipas

de calabaza. Sirva el plato inmediatamente.

## VARIACIÓN

*Para preparar cordero a la barbacoa, ensarte tacos de carne de cordero, tipo aguja o paletilla, en brochetas metálicas o de bambú empapadas. Macere la carne en el adobo verde como se indica en el paso 1 y después ásela sobre la barbacoa hasta que la carne esté cocida a su gusto.*

# Pollo con verdolaga y chile

### Para 4 personas

## INGREDIENTES

el zumo de 1 lima
6 dientes de ajo finamente
 picados
¹/₄ de cucharadita de orégano
 seco
¹/₄ de cucharadita de mejorana
 seca
¹/₄ de cucharadita de tomillo seco
¹/₂ de cucharadita de comino
 molido

1 pollo cortado
 en 4 cuartos
unos 10 chiles grandes
 y secos, de sabor suave
 como la pasilla, tostados
450 ml de agua hirviendo
450 ml de caldo de pollo
3 cucharadas de aceite de oliva
 virgen extra
700 g de tomates, chamuscados

bajo el grill, pelados
 y sin semillas
un puñado de nachos
 machacados
varios puñados grandes
 de verdolaga, cortada
 en trocitos
¹/₂ lima
sal y pimienta
gajos de lima, para servir

1 Mezcle el zumo de lima con la mitad del ajo, el orégano, la mejorana, el tomillo, el comino y la sal. Frote el pollo con la mezcla y déjelo macerar toda la noche en la nevera o como mínimo 1 hora.

2 Introduzca los chiles en un cazo y vierta encima el agua hirviendo. Tape el cazo y deje que se ablanden durante 30 minutos. Después de retirarles

los rabillos y las semillas, prepare con ellos un puré en una picadora o batidora, añadiendo el caldo, hasta obtener una pasta suave.

3 Caliente una cucharada de aceite en una sartén de base gruesa. Añada el puré de chile, el tomate y el resto del ajo. Déjelo cocer a fuego medio, removiendo, hasta que se haya espesado, reduciéndola a la mitad. Reserve.

4 Retire el pollo del adobo y reserve el jugo que pueda haber soltado. Dórelo en el resto del aceite y a continuación póngalo en una cacerola refractaria. Añada la salsa de chile reducida y el jugo de la maceración. Tape la cacerola y cueza el pollo a fuego lento durante unos 30 minutos, hasta que esté tierno.

5 Agregue los nachos machacados a la salsa y cuézalo todo junto unos minutos más, añadiendo la verdolaga, sal y pimienta, y exprimiendo zumo de lima por encima. Sirva el plato caliente, acompañado con gajos de lima.

# Pato con salsa mole y piña

### Para 4 personas

## INGREDIENTES

1 pato cortado
en 4 cuartos
el zumo de 2 limas
125 ml de zumo de piña
5-8 dientes de ajo, cortados
en rodajitas o picados
un poco de chile rojo suave en

polvo, por ejemplo
de tipo ancho
sal
450 ml de salsa mole
(véase pág. 90)
1/2 piña, pelada y cortada
en rodajas

2 cucharadas de azúcar
tiras de chile fresco,
para adornar

1 Mezcle el pato con
el zumo de lima y el
de piña, el ajo, el chile
en polvo, la sal y la mitad
del azúcar. Déjelo macerar
toda la noche en la nevera o
como mínimo 2 horas.

2 Retire el pato del
adobo y séquelo con
papel absorbente.
Coloque los muslos
de pato en una bandeja
de asar y hornéelos en el
horno precalentado a
160 °C unos 20 minutos.
Retire la grasa que vayan
soltando.

3 Añada las pechugas y
siga asándolo todo
otros 20 minutos más,
retirando a menudo el
exceso de grasa. Suba la
temperatura a 200 °C
y hornee el pato otros
5-10 minutos, hasta que
quede dorado y crujiente.

4 Caliente la salsa mole
con suficiente agua
para evitar que se pegue
y se queme. Resérvela
y manténgala caliente.

5 Espolvoree la piña
con el resto del azúcar

y ásela por ambos lados
hasta que esté ligeramente
dorada.

6 Acompañe el pato
con las rodajas de
piña, rematado con
la salsa mole. Sirva las
porciones adornadas
con el chile.

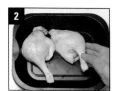

# *Pavo con mole*

### Para 4 personas

## INGREDIENTES

4 porciones de pavo, cortadas
   en 4 trozos
unos 450 ml de caldo
   de pollo
unos 225 ml de agua
1 cebolla picada
1 cabeza de ajos entera,
   dividida en dientes pelados
1 tallo de apio picado
1 hoja de laurel

1 ramito de cilantro finamente
   picado
500 ml de salsa mole
   (véase pág. 90) o salsa mole
   ya preparada, diluida según
   las instrucciones del envase

PARA ADORNAR:
4-5 cucharadas de semillas
   de sésamo

4-5 cucharadas de cilantro
   fresco picado

1 Coloque el pavo en una cazuela grande refractaria. Vierta el caldo y el agua por encima, y añada la cebolla, el ajo, el apio, la hoja de laurel y el cilantro.

2 Tape la cazuela e introdúzcala en el horno precalentado a 190 °C. Pasada 1-1¹/₂ horas; la carne tendría que estar ya muy tierna. Añada líquido extra si es necesario.

3 Caliente el mole en un cazo con caldo suficiente para que adquiera la consistencia de una crema fluida.

4 Tueste las semillas de sésamo que utilizará para adornar en una sartén sin engrasar, agitándola de vez en cuando, hasta que estén ligeramente doradas.

5 Coloque las porciones de pavo sobre una fuente de servir y esparza sobre ellas unas cucharadas de mole caliente. Espolvoree las semillas de sésamo tostadas y el cilantro fresco por encima, y sirva.

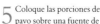

# Postres
## y bebidas

*México recibe de lleno el calor del sol, y las personas que allí viven necesitan refrescarse y rehidratarse constantemente. La cocina del país ofrece una amplia gama de bebidas para apagar la sed, refrescar y tonificar, cuya base es el zumo de frutas o la fruta mezclada con leche.*

*Si desea una copa con garra, pruebe el margarita, elaborado con tequila, pero si prefiere algo relajante, no hay nada como el tradicional chocolate caliente mexicano.*

*Como postre, seguramente le apetecerá la asombrosamente aromática y dulce fruta fresca mexicana, en especial después de una suculenta comida típica. Si de todos modos prefiere algo más consistente, pruebe los churros aromatizados con canela, o los pequeños merengues que los mexicanos llaman "suspiros de monja".*

# Naranjas aztecas

**Para 4-6 personas**

## INGREDIENTES

6 naranjas
1 lima
2 cucharadas de tequila
2 cucharadas de licor
  de naranja

azúcar moreno oscuro y fino,
  al gusto
tiras de piel de lima, para decorar
  (véase sugerencia)

1 Con un cuchillo afilado
rebane la parte superior
e inferior de las naranjas,
y a continuación quíteles
la piel y la parte blanca,
cortando hacia abajo, con
cuidado para no deformar
las naranjas.

2 Sujetando de lado las
naranjas, córtelas en
rodajas horizontales.

3 Coloque las rodajas en
un cuenco. Corte la lima
por la mitad y exprima su
jugo sobre las naranjas.
Rocíelas con el tequila y el
licor y espolvoree el azúcar
que desee por encima.

4 Guárdelas en la nevera.
Cuando vaya a servirlas,
colóquelas en una fuente y
adórnelas con las tiras de piel
de lima.

## SUGERENCIA

*Para preparar la decoración,
pele la piel de una lima muy
fina con un pelapatatas y
córtela en tiras muy
delgadas. Sumérjalas en
agua hirviendo y escáldelas
2 minutos. Escúrralas y
páselas bajo el chorro de
agua fría. Vuelva a
escurrirlas y séquelas con
papel de cocina. Prepare
de igual modo las tiras de
naranja y limón que vaya
a usar para decorar.*

# Compota de piña con tequila y menta

### Para 4–6 personas

## INGREDIENTES

1 piña madura
azúcar al gusto
el zumo de 1 limón
2-3 cucharadas de tequila o unas
    gotas de esencia de vainilla

varias ramitas de menta fresca,
    con las hojas separadas del
    tallo y cortadas en tiras finas
una ramita de menta fresca, para
    decorar

1 Con un cuchillo afilado rebane la parte superior e inferior de la piña. Colóquela en posición vertical sobre una tabla de picar y retire la piel, cortándola hacia abajo. Pártala por la mitad, quite el corazón si lo desea y corte la pulpa en rodajas. Después córtela en trozos.

2 Ponga la piña en un cuenco, espolvoree el azúcar por encima y rocíela con el zumo de limón y el tequila.

3 Reboce la piña en el adobo y déjela enfriar en la nevera hasta que la necesite.

4 Colóquela en una fuente y espolvoréela con las tiras de menta. Decore el plato con una ramita de menta y sírvalo.

## SUGERENCIA

*Asegúrese de que retira los "ojos" al quitar la piel de la piña.*

## VARIACIÓN

*Sustituya la piña por 3 mangos pelados y cortados en rodajas. Para preparar el mango, corte un buen trozo a ambos lados del hueso, pélelo y trocéelo. Recorte el resto de pulpa pegada al hueso.*

# Naranjas y fresas con lima

### Para 4 personas

## INGREDIENTES

3 naranjas dulces
225 g de fresas
la ralladura y el zumo
    de 1 lima
1-2 cucharadas de azúcar lustre

una ramita de menta fresca,
    para decorar

1 Con un cuchillo afilado, rebane la parte superior y la inferior de las naranjas, y quíteles la piel y la parte blanca, cortando hacia abajo y sin que el fruto se deforme.

2 Con un cuchillo pequeño y afilado, procure separar los gajos de las membranas. Deseche las membranas.

3 Separe el rabillo de las fresas dándoles un tirón. Córtelas en rodajas a lo largo.

4 Coloque las naranjas y las fresas en un cuenco y vierta encima la ralladura de lima mezclada con el zumo y el azúcar. Guarde el cuenco en la nevera hasta que las necesite.

5 Para servirlas, póngalas en una fuente, decoradas con la ramita de menta.

## SUGERENCIA

*Un chorrito de licor de naranja le dará un toque delicioso a este postre. Reduzca la cantidad de azúcar o suprímalo.*

## VARIACIÓN

*Sustituya las naranjas por mangos y las fresas por moras, para dar al postre un colorido espectacular.*

# Granizado de fruta

### Para 4 personas

## INGREDIENTES

1 piña

1 trozo grande de sandía
   sin pepitas, pelada y cortada
   en trocitos

225 g de fresas o algún otro tipo

de baya, sin el rabillo
   y enteras o en rodajas

1 mango, melocotón
   o nectarina, pelado
   y cortado en rodajas

1 plátano, pelado y cortado
   en rodajas

zumo de naranja

azúcar lustre, al gusto

1 Cubra 2 bandejas antiadherentes para el horno con una lámina de plástico de cocina. Disponga la fruta encima y guárdela como mínimo 2 horas en la nevera, hasta que esté firme y bien fría.

2 Introduzca sólo una clase de fruta en la batidora y bátala hasta que quede troceada.

3 Añada un poco de zumo de naranja y azúcar al gusto, y siga batiendo hasta obtener una mezcla granulada.

Haga lo mismo con el resto de la fruta. Colóquela en boles enfriados y sírvala inmediatamente.

## SUGERENCIA

*Puede batir toda la fruta junta, o utilizar sólo un tipo: procure que el zumo que utilice combine con el sabor de la fruta.*

## VARIACIÓN

*Si quiere un granizado de fruta y yogur, omita la piña y la sandía y bata el resto de fruta junta, sustituyendo el zumo por mitad de leche y mitad de yogur de frutas.*

# *Buñuelos estrella*

### Para 4 personas

## INGREDIENTES

4 tortillas de harina de trigo
3 cucharadas de canela en polvo
6-8 cucharadas de azúcar lustre
aceite vegetal para freír
helado de chocolate, para servir

tiras finas de piel de naranja,
   para decorar

1 Con un cuchillo afilado
o unas tijeras de cocina,
recorte tantas estrellas como
pueda de cada tortilla.

2 Mezcle la canela con
el azúcar y reserve.

3 Caliente el aceite en
una sartén ancha y poco
honda, hasta que esté lo
suficientemente caliente
como para que un dado de
pan se dore en 30 segundos.
Fría las estrellas una a una.
Cuando un lado esté dorado,
déle la vuelta y fría el otro.
Retírela de la sartén con una
espumadera y déjela escurrir
sobre papel de cocina.

4 Espolvoree la mezcla
de azúcar y canela por
encima de los buñuelos.
Sírvalos acompañados
de helado de cholate y
espolvoreados con las
tiras de piel de naranja.

## SUGERENCIA

*Estos buñuelos en forma
de estrella quedan muy
bien para decorar
un sundae de helado
con sabores mexicanos:
caramelo, canela, café
y chocolate.*

## VARIACIÓN

*Empape los buñuelos
con un sencillo almíbar,
aromatizado con un poco
de canela o anís.*

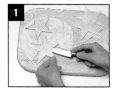

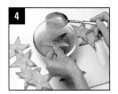

# *Empanadas de plátano y chocolate*

### Para 4-6 personas

## INGREDIENTES

unas 8 láminas de pasta filo
cortadas por la mitad a lo
largo
mantequilla derretida o aceite
vegetal, para pintar

2 plátanos dulces y maduros
1-2 cucharadas de azúcar
el zumo de ¼ de limón
175-200 g de chocolate puro,
troceado

azúcar glasé, para espolvorear
canela en polvo,
para espolvorear

1 Trabaje las láminas de pasta filo de una en una. Extienda una lámina larga y rectangular delante de usted, y píntela con mantequilla o aceite.

2 Pele y corte los plátanos en dados y déjelos en un bol. Añada el azúcar y el zumo de limón y mézclelo todo. Agregue el chocolate.

3 Ponga un par de cucharaditas de la mezcla de plátano con chocolate en una esquina de la pasta, dóblela para formar un triángulo y encerrar el relleno. Siga doblando la pasta formando triángulos hasta envolverlo totalmente.

4 Espolvoree las empanadillas con el azúcar glasé y la canela. Colóquelas sobre una bandeja para el horno y repita la operación con el resto de la pasta y de relleno.

5 Hornéelas en el horno precalentado a 190 °C unos 15 minutos o hasta que estén doradas. Retírelas del horno y sírvalas calientes. Advierta a los comensales que el relleno estará muy caliente.

## SUGERENCIA

*Si quiere unas empanadas más abultadas, utilice masa de hojaldre preparada en lugar de pasta filo.*

# *Churros*

### Para 4 personas

### INGREDIENTES

225 ml de agua
la ralladura de 1 limón
6 cucharadas de mantequilla
$1/8$ de cucharadita de sal
125 g de harina de trigo

$1/4$ de cucharadita de canela, y un
poco más para espolvorear
$1/2$-1 cucharadita de esencia de
vainilla
3 huevos

aceite vegetal, para freir
azúcar lustre, para espolvorear

1 Ponga el agua con la ralladura de limón en un cazo de base gruesa. Llévelo a ebullición, añada la mantequilla y la sal y cuézalo un momento, hasta que la mantequilla se derrita.

2 Añada toda la harina, la canela y la vainilla. Retire el cazo del fuego y remueva muy deprisa, hasta que adquiera la consistencia del puré de patata.

3 Añada los huevos uno a uno, mezclando con una cuchara de madera. Si le resulta difícil incorporarlos, utilice un triturador de patatas. Cuando estén mezclados, vuelva a remover con la cuchara de madera, insistentemente, hasta que la masa quede cremosa.

4 Caliente 2,5 cm de aceite en una sartén honda hasta que un dado de pan se dore en 30 segundos.

5 Ponga la masa en una manga de boquilla ancha y presiónela directamente sobre el aceite caliente, para obtener tiras de unos 12 cm. Compruebe que los churros queden a una distancia de entre 7,5 y 10 cm unos de otros, porque se hincharán al freírse. Es posible que tenga que freírlos en 2 o 3 tandas.

6 Fría los churros en el aceite caliente unos 2 minutos por cada lado, hasta que estén dorados. Retírelos con una espumadera y deje que se escurran sobre papel de cocina.

7 Espolvoree azúcar y canela sobre los churros. Sírvalos fríos o a temperatura ambiente.

# *Torta de cielo*

### Para 4–6 personas

## INGREDIENTES

175 g de almendras crudas
   con piel
225 g de mantequilla sin sal,
   a temperatura ambiente
225 g de azúcar
3 huevos ligeramente batidos
1 cucharadita de esencia
   de almendras
1 cucharadita de esencia
   de vainilla

9 cucharadas de harina
una pizca de sal
mantequilla para engrasar

PARA SERVIR:
azúcar glasé, para espolvorear
almendras tostadas fileteadas

1 Engrase ligeramente un molde para pasteles, redondo o cuadrado, de unos 20 cm, y fórrelo con papel vegetal.

2 Pique las almendras hasta conseguir una pasta harinosa. Reserve.

3 Bata la mantequilla con el azúcar en un cuenco hasta que quede suave y esponjosa. Añada los huevos, las almendras y los dos tipos de esencia, y mézclelo todo bien.

4 Agregue la harina y la sal y mezcle brevemente, hasta que la harina haya quedado bien incorporada.

5 Vierta la pasta en el molde y alise la superficie. Cueza la torta en el horno precalentado a 180 ºC, unos 40-50 minutos o hasta que esté esponjosa al presionarla ligeramente.

6 Saque la torta del horno y déjela enfriar sobre una rejilla metálica. Para servirla, espolvoréela con azúcar glasé y decórela con las almendras tostadas.

# Merengues de chocolate mexicanos

### Para unos 25 merengues

## INGREDIENTES

4-5 claras de huevo
una pizca de sal
$^1/_4$ de cucharadita de crémor
 tártaro
175-200 g de azúcar lustre

$^1/_4$-$^1/_2$ cucharadita de esencia
 de vainilla
$^1/_8$-$^1/_4$ de cucharadita de canela
 en polvo
115 g de chocolate rallado

PARA SERVIR:
canela en polvo
115 g de fresas
crema con sabor a chocolate
 (véase sugerencia)

1 Bata las claras de huevo
(que deberían estar a
temperatura ambiente) a
punto de nieve, añada la sal y
el crémor tártaro, y sígalas
batiendo hasta que estén muy
duras. Añada la vainilla, y el
azúcar, gradualmente, hasta
que el merengue quede
espeso y reluciente. Debería
tardar unos 3 minutos a mano
y menos de 1 minuto con las
varillas eléctricas.

2 Sin dejar de batir, añada
la canela y el chocolate
rallado. Forme montoncitos,
de unas 2 cucharadas cada
uno, sobre una bandeja para
horno antiadherente sin

engrasar. Deje mucho espacio
entre ellos.

3 Hornéelos en el horno
precalentado a 150 °C
2 horas, hasta que cuajen.

4 Retírelos de la bandeja.
Si los merengues están
demasiado húmedos y
blandos, vuélvalos a
introducir en el horno hasta
que se endurezcan y sequen.
Deje que se enfríen del todo.

5 Sirva los merengues
espolvoreados con la
canela y acompañados con
las fresas y la crema de
chocolate.

## SUGERENCIA

*Para preparar la crema,
mezcle unos trozos
de chocolate medio
fundido con nata batida
y guárdelo en la
nevera hasta
que se solidifique.*

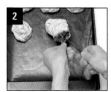

# *Bebidas mexicanas relajantes*

### Para 4 personas

## INGREDIENTES

BATIDO DE FRESA:
450 g de fresas
700 ml de leche
225 ml de yogur de fresa
   (opcional)
azúcar al gusto
2 puñados de cubitos de hielo

CHOCOLATE CALIENTE
   MEXICANO:
115-175 g de chocolate puro
   en trocitos pequeños
$1/2$ cucharadita de canela
   en polvo
1 litro de leche
1 chorrito de esencia de vainilla

1 chorrito de esencia
   de almendras
un pellizco de sal
azúcar lustre, al gusto
2 cucharadas de chocolate
   rallado
4 ramas de canela, para servir
   (opcional)

1 Para el batido de fresa, bata la mitad de las fresas, reservando 4 para decorar. Añada la mitad de la leche y del yogur, si lo utiliza, y siga batiendo para hacer un puré.

2 Añada azúcar al gusto y hielo, y bata de nuevo hasta triturarlo. Cuando el batido quede espeso y helado, viértalo en vasos altos, decórelo con las fresas reservadas y sírvalo inmediatamente. Repita la operación con el resto de los ingredientes.

3 Para hacer el chocolate caliente mexicano, caliente en un cazo el chocolate con la canela y la leche.

4 Cuando el chocolate se haya fundido añada las esencias de almendra y vainilla, la sal y el azúcar. Bátalo todo hasta que quede bien mezclado y caliente.

5 Vierta el chocolate en tazas, espolvoréelo con chocolate rallado y adórnelas con una rama de canela.

## VARIACIÓN

*Para variar el sabor del batido, sustituya las fresas por frambuesas, plátano o mango, y utilice un yogur de su elección.*

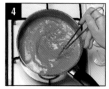

# Refrescos de fruta

### Para 4-6 personas

## INGREDIENTES

REFRESCO DE COCO Y LIMA:

450 ml de leche de coco (sin endulzar)

125 ml de zumo de lima recién exprimido

1 litro de zumo de fruta tropical, como mango, papaya, guayaba o granadilla

azúcar al gusto

hielo picado

ramitas de menta fresca, para decorar

SANGRÍA:

1 botella de vino tinto de sabor fuerte

50 ml de licor de naranja

50 ml de brandi

225 ml de zumo de naranja

azúcar al gusto

1 naranja lavada

1 lima lavada

1 melocotón o nectarina

1 mango

1/2 pepino, en rodajitas finas

cubitos de hielo

agua mineral con gas

1 Para preparar el refresco de coco y lima mezcle la leche de coco con el zumo de lima, el zumo de fruta tropical y el azúcar, al gusto. Añada el hielo y bata hasta que esté todo bien mezclado. También puede colocar los ingredientes en una batidora y batirlos. Sirva el refresco inmediatamente, decorado con hojas de menta.

2 Para hacer la sangría vierta el vino en una ponchera y agregue el licor,

el brandi, el zumo de naranja y azúcar al gusto. Tápela y déjela en la nevera unas horas.

3 Antes de servirla, corte la naranja y la lima en rodajas a lo ancho. Parta el melocotón por la mitad, quite el hueso, y corte la pulpa en rodajas. Pele y parta el mango.

4 Incorpore a la ponchera la fruta, el pepino y el hielo, y acabe de llenarla con agua mineral. Sírvala inmediatamente.

## VARIACIÓN

*Para que el refresco de coco y lima se convierta en una bebida alcohólica, añada 2 cucharadas de ron blanco por persona. Puede decorarla con trocitos de fruta tropical ensartados en una brocheta de bambú.*

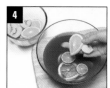

# *Margaritas*

### Para 2 personas

## INGREDIENTES

**MARGARITA CLÁSICO:**

piel bien fina de lima o limón

sal, para las copas

3 cucharadas de tequila

3 cucharadas de licor de naranja

3 cucharadas de zumo de lima
    recién exprimido

un puñado de hielo picado

tiras finas de piel de lima, para
    decorar

**MARGARITA DE MELÓN:**

1 melón *cantaloup* pequeño,
    pelado, sin pepitas y en dados

varios puñados grandes de hielo
    picado

el zumo de 1 lima

100 ml de tequila

azúcar al gusto

**MARGARITA DE MELOCOTÓN
    HELADO:**

1 melocotón, cortado y congelado

50 ml de tequila

50 ml de licor de melocotón
    o de naranja

el zumo de $1/2$ lima

melocotón fresco cortado en
    dados o 1-2 cucharadas de
    zumo de naranja, si fuera
    necesario

1 Para preparar un margarita clásico, humedezca el borde de dos copas de vermut no muy altas con la piel de lima o de limón y páselas por la sal. Sacuda las copas para eliminar el exceso.

2 Ponga el tequila en una batidora o picadora con el licor, el zumo de lima y el hielo picado. Bátalo bien.

3 Vierta el cóctel en las copas con cuidado, para no estropear el reborde cubierto de sal. Si lo prefiere, puede colarlo antes de verterlo en las copas. Decore los margaritas con ralladura de lima y sírvalos.

4 Para hacer los margaritas de melón, póngalo en una batidora y prepare un puré. Añada el hielo, el zumo de lima, el tequila y azúcar al gusto, y bata la mezcla hasta que quede cremosa. Vierta los margaritas en vasos bajos enfriados.

5 Para los margaritas de melocotón, bata la fruta congelada con el tequila, el licor y el zumo de lima hasta obtener un puré. Si queda demasiado espeso, añada dados de melocotón fresco o zumo de naranja. Sírvalos en vasos enfriados.

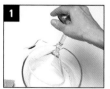

# Índice